문밖의 순수

문밖의 순수

고운하 에세이

자연 속에서의 수많은 시간이 만든 시선과 마음

BOOKK

이 책의 길

📖

인적이 없어야 했다. 그 무엇으로부터도 부딪힘 없는, 깨지지 않는, 자연스럽게 흘러가는 행동과 생각들을 가질 수 있는 그런 나의 자유의 공간이어야 하는 까닭이다. 그러나 너무 불편한 것도 성가신 일. 인적이 들 만한 곳이 아닌 깊은 숲에 들었으나 언제라도 수월하게 문명과 만날 수 있는 장소를 찾았다. 애써 찾은 만큼 역시 마음에 드는 둥지였다. 사방이 에메랄드 같은 푸른빛이 감돌고, 빛은 우듬지 사이로 아기의 반짝이는 눈빛처럼 내려왔다. 실개울은 아침의 참새처럼 조잘대고, 진짜 새 소리는 저쪽 어디선가 피콜로를 불며 골목길을 걸어가는 누군가의 즐거운 마음을 나타내고 있다.

스며들었는지 솟아올랐는지 땅의 피부와 부드럽게 연결된 평편한 바위에 앉았더니 유난스럽게 힘이 있는 중력이 나를 끌어 일체화시킨다. 든든함이 몸을 감싸는 것 같아 휘파람 같은 기쁨이 터진다.

나의 일상은 이렇게 자연에서 흐름을 갖는다. 나로서는 이런 행보를 하는 것이 옳았고, 이것은 배우지 못하고 가난한, 미약한 존재로서의 상실감이나 우울의 소요를 잠재우는 안전한 선택이자, 내 존재의 형태를 목적과 가치 있는 조형물로 빚어내는 일이다.

고등학교 1년 수료를 끝으로 교육을 마감한 나는, 나의 지식이나 지혜로서 알 수 있는 것은 별로 없다. 이 사실만으로 나를 설명하자면, 나는 그저 단세포 아메바와 같은 생육 물질의 존재에 지나지 않는다. 그래도 무언가의 행위나 가치를 갖겠지만, 삶이라는 유기적인 행태를 지닌 인간이라는 점에서 마땅한 사실은 아닐 것이다.

나는 다른 동물에 발달치 않은 전두엽, 해마, 대뇌피질 등의 뇌 조직을 가진, 그래서 무궁한 자의식을 갖고 감정을 발현시키는 '인간인 나'여야 하고, 또 그런 의식을 놓치지 않고 있다. 그 탓인지 지식이나 지혜가 모자라는 것에 대한 한탄을 갖지 아니하고, 대신 나의 신경세포에 의해 자연선택으로 작용하는 감각과 관념을 적극적으로 이용하여 인간인 '나'를 일깨우고 있다.

나를 '나'로 만드는 감각과 관념은 그 색이 투명하여 잡히지 않는, 그러나 무한의 세계를 나타내는 이상, 환상, 상상, 몽상과 같다. 그러한 상태는 나의 의식을 천공처럼 펼쳐놓고 사물의 세계를 관조케 한다. 관조하는 마음인지라 대체로 나의 삶이나 인생에 뚜렷한 지각이 없다. 늘 바람처럼 떠도는 의식으로, 주로 세상사의 신기하고도 신비한 행태에 매혹되거나, 빛과 색의 정서로부터 마음의 작용을 갖거나, 인간 사회의 행실에 웃거나 근심하거나 소망하는 마음에 젖어 지낸다. 진솔해야 한다거나 현실 감각이 있어야 한다거나 하는 삶의 통념으로 보자면 절대 성실한 행태는 아니다. 사뭇 이상한 성향을 가지고 살고 있는 셈이다.

그런데도 지금껏 나는 나를 순수하게 잘 감당하고 있다. 나의 대뇌피질은 이미 오래전부터 독자적 삶 쪽으로 훈련되었고, 이제는 거의 습성화된 탓이다. 이것이 가능할 수 있었던 것은 자연이 있기 때문이다. 나는 자연을 끌어안았다. 자연 속의 철새가 되고, 나뭇잎이 되고, 구름과 안개가 되고, 자갈처럼 구르다가 모래처럼 반짝이는, 이 밖의 모든 행태를 내 삶의 길로 여기며 살아왔다.

나의 삶에 있어 자연에 동화된 세월이 길다. 어쩌면 태어났을 때부터 자연의 아들이었으리라. 내가 태어나고 자란 곳이 강바람 몰려오고 미루나무 굽어보는, 또 올빼미 소리 울리는 자연의 태반인 까닭이다.

어차피 우리는 자연의 자식들이다. 부모의 태반을 통해 태어났지만 자연 체계에서 형성된 단세포, 미토콘드리아, DNA, 다세포로의 변이, 진화와 같은 생리적 경과의 산물인 것이다. 우리는 우리의 심신과 삶에 있어 자연이라는 맥락을 빼놓으면 아무것도 아니다.

나는 그렇게 자연의 근원을 생각하며 살아왔다. 초근목피의 단출한 삶이지만 행복보다 더욱 안전한 만족을 자연에서 얻고 있다. 현대 사회의 눈으로 보자면 이상한 삶의 은둔자이기는 하지만, 「히키코모리」와 같은 어둠과 우울의 총아인 존재로 시간을 낭비한다거나 향락적인 자극에 취해 시간을 썩히고 있지는 않다. 하루의 일상은 순하고 고요하게 흘러가며, 문밖에 나가면 인사도 즐겁게 하며 다닌다. 다만 사람과의 소통이 거의 없으니, 나의 인사 대상은 자연의 물상들인 경우가 대부분이다. 나무와 찔레꽃에게 인사하고, 물결과 피라미에게 인사하고, 박새와 산토끼에게 인사하는 식이다. 새벽안개나 저녁노을에도, 산들바람과 눈송이에도, 나를 쉽게 건네게 해주는 징검다리나 심지어는 외로운 무덤에도 인사를 한다.

그런 인사는 언제나 즐겁다. 그들과의 이해관계가 자유로워 무한한 정감을 품을 수 있기 때문이다. 그 인사들은 현대 사회의 노숙자이면서도 만족에 다다른 마음으로 사는 이유이자, 내 삶의 보석이다.

이 책은 문밖의 순수한 물상들과 그런 인사를 스치면서 떠올린 소소한 꿈, 상념, 사유 등의 이야기들을 전하는 책이다. 필자인 나의 인생과 삶은 중요치 않다. 다만 자연을 향한 시선과 마음으로 이 책을 꾸몄으니, 이로써 당신의 세계가 조금만이라도 풀리거나, 새로움을 갖거나, 확장 되었으면 하는 염원이 있다. 그러면 좋지 않겠는가!

2024년 2월 5일

고운하

📖 차 례 📖

[2부] 자연, 순수한 풍경과 서정

[3부] 자연, 아련한 상념과 사색

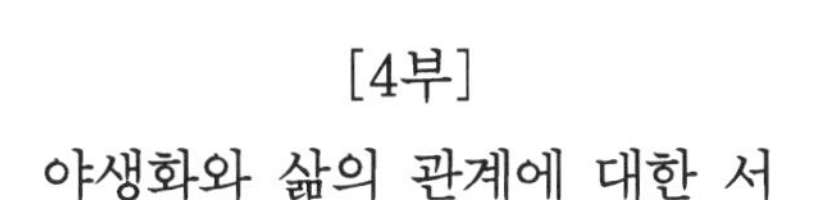

[4부]
야생화와 삶의 관계에 대한 서

1부

자연, 영원한 삶과 꿈

노을 속의 행복

노을 속을 걷는 당신들은 참 아름답다. 한 명은 키 크고, 한 명은 키 작은 당신들은 손을 잡고 팔을 흔들며 걷는다. 이따금 고개도 돌려지고 머리채가 휘날린다. 당신들은 두 개의 검은 실루엣이다. 그렇게 검지만 검은 옷을 걸친 것이 아님을 안다. 마냥 어둡지 않고 탁하지 않다. 달밤의 흰 눈 같은 부분도 보이고, 촛불 비치는 벽면 같은 노르스름한 부분도 보인다. 멈춰진 장면이라면 진한 농담을 지닌 고풍스럽고 우아한 화첩일 터이다. 그러나 조곤조곤 돌아가는 영상처럼 당신들은 끊임없이 움직인다.

둘이 어떤 즐거운 이야기인가? 작은 키를 가진 실루엣의 흔들흔들어깨춤까지 있다. 남몰래 행복에 젖게 되는 참 아름다운 모습이다. 어떻게 저들이 저토록 아름다워 보일까. 노을의 배경 때문이다. 저들은 노을 속의 강변길을 걷고 있고, 산길에 나섰던 나는 건너편 나지막한 동산의 숲 중턱에 앉아 잠시 하산 길에서의 숨을 고르고 있다. 그리고 멀리 떨어져 전혀 다른 풍경으로 있는 우리들 배경에 10월의 감빛 노을이 있다. 노랗게 번져서는 붉게 익어가고 있는 감빛 노을 말이다. 이것은 정말 우리의 축복이다. 뜨거워도 괴로운 일이요, 추워도 괴로운 일인 우리에게 노을은 중화의 안식이다. 더없는 부드러움이 있고, 더없는 감미로움이 있다. 이 바탕은 우리 누구도 부정할 수 없는 행복, 행복의 바탕이다.

노을이 자욱한 때면 가까운 곳의 물상 외에는 대부분 정밀함을 감춘다. 빛의 선별이 사라지고, 노동의 땀방울이 감춰지고, 길도 진로가 아닌 지평선이 된다. 가까이 있어 정밀한 것들도 사실 마찬가지기는 하다. 눈에서만 정밀할 뿐 마음에선 이미 한 치의 틈도 없이 꿰매어진 철저한 날카로움이 삭고 있다. 결국 노을이 자욱하면 모든 선이 경계를 허물고 서로와 서로에게 안기며 가득한 자애의 미소를 갖는다. 노을은 이렇게 선량하다. 자신에 물든 저쪽 당신들과 이쪽의 나를 태초의 선으로 미화한다.

그러기에 나에게 있어 노을은 종교처럼 영적인 빛이다. 노을빛은 위대한 경전이며 영속적인 안식을 설파하고 있다. 그 덕분에 나는 생의 시작과 끝이 없음을 느낀다. 그 순간 은원이 득실대는 삶에 초연해지고, 이를 궁극적 평화로 여긴다. 이러한 감정엔 계산이 없다. 잔잔히 물드는 순수 그대로이다. 이처럼 노을은 종교의 경전과 다르게 해석이 분분치 않다. 내가 더욱 매료되는 이유이다. 노을은 순수의 전유물이다. 오직 아득히 빠져드는, 아련히 젖어 드는 단순함 속에 무량한 삶의 가치가 일어난다. 감격스러운 순간이다. 모든 것이 이대로 기를 바라는 뜨거운 마음이 절로 일어난다. 나는 이렇게 자연스럽게 평화의 기도를 갖는다.

내가 세상을 위해 기도하는 것은 사람과 사람끼리 서로에게 절대로 상처를 주지 않는 평화로운 상태가 되기를 바라는 것이다. 진실로 순수한 마음이지만, 이 순수한 마음의 뿌리에는 매우 역설적인 혼탁함이 있다. 부모에게, 연인에게, 그리고 또 누구에겐가 무엇엔가 상처를 준 지난날의 암흑이 있는 것이다. 정말 가슴이 아프거나 몸서리치도록 부끄러운 암흑이다. 영원히 후회되고 있는 매우 진한 암흑이었기에 나는 이리도 평화를 기도하는 것이다. 당연히 사람에게만 국한되는 것은 아니다. 세상 모든 것에도 마찬가지다. 곤충의 소리, 꽃들의 아름다움, 흐르는 물결과 바람 등이 하염없이 평화롭기를 기도한다.

아쉽게도 평화를 기도하는 상태는 시도 때도 없이 터지는 감정이 아니다. 그렇다고 기일이 정해진 제식처럼 고정적인 것도 아니다. 나의 평화의 기도는 타율적으로 어떤 분위기를 탄다. 내가 겪어온 바에 의하면 그런 분위기는 자연에서 풍겨오고 사람에게서 풍겨오지만 자주 있지 않고, 몇 가지가 되지 않는다. 그중에서 가장 긴밀한 분위기는 자연의 어떤 모습에 동화되어 넋을 잃는 분위기다. 모든 시공간을 초월하는 상태에 빠지는 넋 말이다. 이러한 넋에 빠지는 분위기를 말할 때 망설임 없이 언급할 수 있는 것이 노을이다.

지금 그 노을 속에 당신들이 걷고 있다. 내 평화의 기도를 눈물겹게 하는 고운 가사처럼 아름답게 걷고 있다. 이토록 아름다운 당신들이 바람에 흐트러지는 모습을 누가 바랄까. 그 누구든 그저 한없이 저 모습 저대로 기를 바랄 것이다. 모두 평화의 기도를 하는 것이다. 아무리 보아도 아름다울 테니 말이다.

둘이 쪼그려 앉은 모습도 아름답다. 무엇인가를 발견했나 보다. 가장 쉽게 떠올릴 수 있는 생각은 들꽃이다. 10월의 처녀들인 쑥부쟁이일까, 작디작은 보랏빛 꽃을 피운 쥐꼬리망초일까? 일어선 당신들의 손에 아무것도 들린 것이 없는 것을 보니, 어느 꽃이든 당신들에게 여리고 순한 미소를 띠었나 보다. 아니면 들꽃이 아닌 또 다른 무언가에 대한 호기심을 피웠을 수도 있겠지만, 그 무엇이었든 노을이 장식한 당신들의 실루엣은 인간의 최상이자 최고의 미학이다.

이 순간 나는 삶의 거룩함을 믿게 된다. 이런 믿음의 힘은 정말 신비롭다. 맨날 난장판인 삶을 순정의 면사포로 덮어주고, 맨날 시름없는 인생을 따스한 훈향으로 덮어준다. 노을 속의 장면은 이렇게 곱디고운 행복으로 영근다. 노을 앞에서 곧잘 넋에 빠지는 이유가 달리 있으랴. 깨치기 싫은 순간임을 영혼이 제 먼저 알고 있기 때문일 것이다. 그래서 나는 걸핏하면 노을에 붙잡힌다.

천천히, 아주 천천히 걷기에 걸어도 멀어지지 않는 당신들에게 노을은 무엇일까? 알 수가 없다. 같은 노을 하늘 아래에 있어도 나는 앉아 넋을 놓고 있는데, 당신들은 노을과 무관한 것처럼 계속해서 참새처럼 조잘대고, 무대 위의 배우 마냥 모녀의 사랑에 대한 열연하고 있다. 하지만, 당신들의 열연이 단순할까. 나는 믿는다. 당신들은 그윽하고 따뜻한 조명의 분위기를 타고 떨리는 감정 없이 안정된 숨을 쉴 수 있기에 열연이 절로 나오는 것이라고. 결국 지금의 당신들의 아름다움은 노을의 조력에서 이렇게도 생생한 것이다.

당신들의 모습이 영원했으면 하는 바람이다. 나의 존재는 소나무에 가려지고, 흙 위에 철퍼덕 퍼질러 앉았어도 당신들의 멋진 공연만 있어 준다면 나는 항상, 항상 미소를 지으며 꿈꾸는 관객으로 정물화될 것이다. 그것은 정말 행복한 일이다. 결국 당신들의 평화가 나의 행복이라는 것을 10월의 감빛 노을 속에서 이렇게 깨닫고 있다. 그러기에 나는 또 기도하는 마음이다.

영영 살고 싶은 이유

햇살이 비치자 서릿바람이 금방 힘을 잃는다. 어제 다르게 햇살이 강해졌다. 봄, 봄이 온 것이다. 겨우내 눈덩이처럼 뭉쳐져 굴러다녔던 몸이 풀어지고 발걸음이 풀어진다.

실컷 걷다가 따스한 햇살이 반사되는 두 개의 바위틈에 앉는다. 바람이 고였고 햇살에 덥혀 따뜻하고 아늑하다. 내 소년 시절의 둥지였던 다락방 같다. 좁고 낮아도 나만의 소유였기에 하나의 꿈꾸는 세계가 되었던 다락방, 그러기에 솜이불을 안고 뒹구는 듯 포근하다.

한 겨울이면 냉막한 공기에 얼어버려 미동도 없던 빵 냄새가 봄 꽃피듯 활짝 피어오른다. 참 구수한 냄새다. 빵을 베어 문다. 밋밋한 산소의 통로에서 일어나는 달콤한 자극이 즐겁다. 허기진 배에서 기다림의 기쁜 미소가 활짝 번진다.

따스한 햇살이 반사되는 바위틈에서 이렇게 북풍을 견디고 와 얻는 행복이 피어난다. 결국 우리가 닿고 싶은 끝에 이른 것이 아닌가. 더 이상 어디로 갈까, 어디로 갈까.

마당 화단의 생강나무 꽃이 핀다. 알았는지 몰랐는지 우연히도 멧비둘기 날아든다. '구우꾹 꾹꾹 구우꾹 꾹꾹' 가을도 아닌데 무엇을 꾹꾹 눌러 담아 비축하라는 것인지 하소연하는 사연이 궁금타.

사실 많은 새 종류가 날아드는 마당의 감나무 탓에 궁금증은 사시사철 나의 과제로 주어진다. 그러나 제대로 풀어낸 적은 단 한 번도 없다. 그저 이런저런 생각 하다가 멍하게 감나무만을 쳐다볼 뿐이다.

멧비둘기 소리에도 역시 마찬가지다. 사연을 알지 못한 채 멍하고야 만다. 이런 내 모습을 아지랑이 피어오르며 희롱한다. '그냥 잠이나 자, 그냥 잠이나 자.'라고 속삭이는 것이다. 봄날은 이렇게 아련히 졸립다. 당신은 생동이요, 약동의 봄이라고 말하지만, 나는 아지랑이 아른거리는 툇마루에 앉아서 한없이 졸립다, 졸립다.

살아오고 살아가는 세상이 어딘지도 아련하다. 열반이 이런 세계이리라. 이제야 멧비둘기의 소리가 이해되는 것 같다. 이렇게 삶 속에 열반이 있으니 그냥 '꾸우꾹' 눌러 붙어 살라는 말이 아닐까 하는 것이다.

옷 한 겹도 두터운 외투다. 태양이 중천에 있는 때 두터운 외투는 온종일 달구어진 바위처럼 뜨겁다. 이대로라면 살아 고통밖에 없으리

라. 이대로라면 나 미쳐 죽고 말리라. 이 짓은 자연이 하는 짓이지만, 자연은 '바늘로 찔러도 피 한 방울 나지 않을' 냉혈한이 아니다. 이쪽엔 화로가 피어오르고 있지만, 저쪽엔 선풍기가 돌아가고 있는 대장간 풍경을 담고 있다.

들판엔 화로의 숯불이 이글이글 붉은데, 숲속 계곡의 명경지수엔 엄동설한 한파가 흐른다. 후끈하게 달궈진 몸을 그 물에 넣으면, 도대체 이와 같은 삶의 환희가 어디에서 터질 수 있을까? 어디에도 없고 오직 한 여름의 숲속, 숲속 계곡물에서만 터지는 일이다. 더 이상 어느 세상을 찾아갈 필요가 없다. 여기에, 여기에서 절로 터지는 '어허!' 라는 탄성을 울리고 살면 되는 것이다.

몸은 이제 여름을 벗어난다. 두터운 외투가 한 겹 두 겹 벗겨진다. 뜨거운 공기가 갇혔던 입 속에 맑은 바람이 드나들기 시작한다. 이런 감각을 '가을'이라 부른다. 무언가 풀리면서도 무언가 갇히는 '가을'이라 부른다.

하천가의 벚나무 그늘에 누웠는데 실바람이 불어온다. 솜털이 피부를 간질이는 감각이 전신을 돌고 돌아 뇌까지 들어온다. 지극한 감미로움. 삶의 은총이라고 마음이 속삭인다. 연인처럼 곁에 누워 달콤하게 속삭인다. 더 이상 어디로도 갈 필요 없는 더할 나위 없는 상태가 된다. 모든 것이 완성된 천국이라는 것이 있다고 할 때, 그 상태이다. 내 어찌 다른 세계로 갈까. 이렇게 감미로운 바람 속에 있는데.

하나 둘 단풍잎이 밟히고 있다. 단풍잎이 밟히는 길은 신기한 사랑의 묘약이다. 단풍의 붉은 열정의 색 탓일까? 이미 사랑을 잃은 나이라 내게 무슨 효능이 있는 보약이 아닌데도 괜스레 꿈을 갖는다. 늘 잊고 지내는 '사랑의 낭만'이라는 아름답고, 즐겁고, 그윽한 행태가 상념의 공간에 자유롭게 그려진다.

이성과의 감정이 사색처럼 깊고, 흰 눈처럼 순결한 때가 이때이다. 우리 누구도 머물러 놓치고 싶지 않은 순간이다. 상념 속에서 그려진 그리운 사람. 그에게 보내고 싶은 엽서 속의 그림으로 서서 영원히 사랑에 잠기고 싶은 순간이다. 이 순간이 있는 가을은 오고 또 와도 반가움에 젖는다. 미움 없는 사랑의 세계, 우리가 머물 궁극의 세계가 아닌가!

단풍이 시들어 바람에 흩날릴 때 바바리코트 자락도 함께 흔들린다. 떠나가는 길이었던가, 돌아오는 길이었던가. 아니다. 나는 내왕하는 것이 아니다. 멈추고 가라앉는 것이다. 엄숙한 철학의 심연으로 저절로 가라앉는 것이다. 그리고 그동안 요동쳤던 모든 것을 고요히, 고요히 매만져 보는 것이다.

나만이 아닌 우리 모두의 깊어가는 가을 풍경이다. 이맘때 어김없이 당신이 '여행을 떠나고 싶다.'고 한 이유는 저 먼 곳의 풍경이, 연인이, 삶이 그리워서가 아니다. 당신의 길을 고요히, 고요히 매만져 보고 싶어서이다. 어디론가 가고 있지만 어느 곳에 가는 것이 아니라, 그대 안의 길을 성스럽게 가고 있는 것이다. 당신은 하나의 세상이요,

그 세상의 길을 가고 있는 것이다.

다른 길은 상상 속에서조차도 열리지 않는다. 그냥 고요히, 고요히 이 깊은 가을에 머물러 있고 싶은 것이다.

소슬바람에 다급해지는 마음. 겨울, 겨울이 온다. 동토의 진군으로 인해 이제 세상이 딱딱하고 날카로워 질 것이다. 온 산야를 휩쓸고 올 칼날들. 그를 피하여 살려면 손볼 것이 많다. 두터운 옷들을 꺼내어 햇살에 말려 쿰쿰한 곰팡이 냄새도 날려야 하고, 투박한 손으로 흙장난하듯 주물러 김장도 담가야 하고, 오래된 시골집이라 점점 일그러져 넓혀진 문틈들에 문풍지도 달아야 한다. 무수히 떨어지고 있는 잎들, 사람 사는 마당이라는 이유만으로 그냥 놓아둘 수 없다.

이렇게 분주한 겨울맞이가 긴장 같기도 하고, 노동 같기도 하여 그대는 싫은가? 나는 준비된 아늑한 둥지를 생각한다. 사연 많은 분주함이 사라진 고요한 분위기를 생각한다. 특히 깊고 긴 밤의 정경을 생각한다. 어둠 속에서 자유로워지는 본능, 나는 그 길고 깊은 밤의 자유를 사랑한다.

겨울이 오면 얻는 나의 긴 밤의 세계. 이 겨울에 나는 가질 것 다 가지게 된다. 재물의 풍족함은 허기지만, 마음의 풍족함은 포만이다. 나의 겨울은 포만이다. 무엇도 바랄 것 없는.

겨울이 아니면 얻을 수 없는 또 하나의 삶의 은총을 본다. 함박눈 내리기 전의 풍경, 하늘의 회색 바탕, 지상의 자욱한 고요! 이 분위기는 폭풍의 전야가 아닌 모든 그리움이 덮쳐오는 진한 애수의 서정이다. 이 서정을 느낄 때 나는 모든 것들을 따듯하게 품고 싶은 자비심이 열정적으로 일어난다. 이는 내가 어진 자의 뜻을 얻었음이 아니라, 신비롭게 일어나는 마음의 따스함이 분에 넘치고 넘치도록 고이기 때문이다. 이때 나는 세상이 참으로 좋다고 생각한다. 이때 나는 삶이 정말로 좋다고 생각한다. 그래서 영영 살고 싶어지고, 내일이 단꿈처럼 여겨진다.

결국 함박눈이 말없이, 고요히, 펑펑 내리는 날이 있다. 이렇게 함박눈이 내리면 그 어느 시련에도 감출 수 없는 미소가 피어난다. 이는 영영 살고 싶은 내 마음의 환희다. 봄, 여름, 가을마다 삼라만상의 아름에서 형형색색 다채로운 유혹처럼 터져온 또 하나의 내 마음의 환희다. 참, 영영 머물러 살고 싶은 눈시울 젖어오는 환희다.

살아가고 있는 일은 매 순간 순간이 현실이다. 그러나 멀리서 보면 꿈같다. 그리고 오래 살고 싶다. ♣

토독 토독

환한 공기와의 소통이 그리워 참 닫기가 힘든 것이 동쪽으로 난 작은 띠살문이다. 결국 한 해 태반이 열려 있게 된다. 열린 곳으로 네모난 띠살문만큼이나 네모난 푸른 영상의 세계가 열린다. 바람이 불어 오가고, 제비나비의 우아한 횡단이 있고, 거미줄이 보리수나무의 짙푸른 천계에 은하수처럼 펼쳐졌고, 그 아래를 검은 날개의 수컷 물잠자리가 이슬아슬 피해가는 세계다. 무슨 생리인지 연신 꼬리를 터는 습관을 지닌 딱새는 오늘도 빠지지 않는다. 담장 위에 앉자마자 다음 행동을 정하는 궁리가 채 5초도 되지 않아 끝났는지 톡 튀어 사라진다. 아마도 편히 쉴 곳을 서둘러 찾아야 한다는 궁리였을 테다. 네모의 세계에는 섬세한 손길처럼 구석구석에 닿고 있는 빗방울도 있기 때문이다. 나는 진작 그 빗소리를 듣고 있다.

"토독! 토독!"

단조로운 소리일 것 같지만 실제로는 떨어져 닿는 대상에 따라 울리는 농담은 다르다. 그러나 그 분별은 무의식에 지배되어 소란스럽지 않고 잔잔하다. 이 소리 저 소리가 다 평화롭게 넋의 음색으로 울리는 것이다. 특히 비가 좋아 둥지처럼 여기는 내게 있어 '토독, 토독' 소리는 조곤조곤 정을 저미는 자장가이다. 그래서 듣고 들어도 포근하고, 아련하고, 정갈하다. 좋아할 수밖에 없다. 이 밖에도 다사다난한 사유를 정리한 뒤 얻는 해방감 속에서 숲 향기 일어나는 한 잔의 산죽차를 마시는 기분! 세상의 은원이 무엇이건 죄다 씻어 빨랫줄에 걸어놓고 푸른 하늘을 쳐다보는 기분! 그리고 뭔지 모를 순수한 삶의 의지가 동화처럼 그려지는 시간을 제공받는 기분! 정말 좋다, 좋다!

'토독, 토독'은 두드림의 충격을 나타내는 모습이지만 아픔이 없다. 담쟁이덩굴의 넓은 잎과 몇 포기 심어놓은 상치의 얇은 잎이 찢기는 아픔도 없고, 온 몸 드러내 놓은 항아리가 깨지는 아픔도 없다. 오히려 먼지 때 벗겨지는 기쁨에 자꾸만, 자꾸만 반짝반짝 빛난다. 마당도 촉촉해지고, 땅에서는 어김없이 지렁이가 나타난다. 바람만 불어도 상처 날 여린 피부의 지렁이는 왜 땅밖으로 나오는 걸까? 아픔의 위험이 없음을 지레 알아 개의치 않았을 터이고, 오로지 '토독, 토독' 울리는 매구북 소리 같은 장단에 맞춰 하느적하느적 춤을 추고 싶었기 때문이 아닐까. 스으슥 늘어지며 미끄러져 가는 폼이 피겨스케이팅 선수의 몸 풀기처럼 여유롭다.

누구에게도 아픔이 없기에 모정 같은 사랑의 두드림으로 써온 것일까? 당신과 나 사이의 '토독, 토독'은 담요처럼 포근한 위로의 두드림이요, 합격 소식처럼 힘 돋는 격려의 두드림이요, 때로는 노을처럼 아늑한 신뢰를 품는 의지(依持)의 두드림이요, 더불어 놀고 싶은 마음이 간질대는 친교의 두드림이다. '토독, 토독'이 왜 우리에게 사랑의 두드림이 되는지 알만한 일이다.

살아오면서 가끔씩 '토독, 토독'을 해주기도 했고, '토독, 토독'을 당해보기도 했다. 가장 최근의 일들을 생각해보니, 계속해서 '토독, 토독'을 당한 일이다. 장마철을 맞아 잦은 비 내리는데 잦은 마당 나들이를 하니 그럴 수밖에 없다. 빗방울들로부터 빈번하게 '토독, 토독'을 당한 것이다. 오늘 비에도 조금 전 또 겪었다. 빗방울 맞는 일이 별일 일 것인가. 나는 별일로 여긴다. 은혜인 까닭이다. 더운 여름에 있어 빗방울 한 움큼 맞는 일이 영 시원할 수밖에 없고, 이는 곧 위로의 혜택을 은연중에 받은 셈이니 말이다. 30도가 훌쩍 넘는 방안에 앉아 생각하니 참 행복한 일인 것이다.

그럼 나는 무엇을 했나? 가만히 생각해 보니 참 딱한 일이다. 도무지 '토독, 토독'의 정 깊은 울림을 피어 올렸던 일이 생각이 나질 않는다. 너무나도 오랫동안 키워온 삭막한 나의 삶이 만든 망각이다. 실제로 나는 내 인생을 만물이 상생하는 풍요로운 숲으로 끌고 온 것이 아니라, 그저 홀로 숨만 깔딱깔딱 쉬며 걷는 사막의 언덕으로 끌고 왔다. 자랑스럽고 보람된 일이 절대 없어 통곡으로 울어야 할 일이다.

토독, 토독! 이 울림은 결국 순환되어 모두가 기분 좋은 일인데, 또한 어렵지도 않고 아프지도 않은 일인데 영영 거두지 못한 채 살아오다니, 참 미천한 나의 삶이 아닌가. 그러고 보니 '토독, 토독'은 사랑의 두드림뿐만 아니라 각성과 회개의 두드림도 되는 모양이다. 영 착잡한 마음에 '내가 왜 이렇게 닫히게 되었나.'하는 회한을 토해내고 각성과 회개하는 마음이 된다.

수많은 현자와 성자들의 인생론이 있어왔지만, 누구도 인류 전체의 인생을 고르게 하지 못한 것을 보면, 애당초 인생은 정의될 수 없는 것이었는지도 모른다. 정의되지 않는 인생이라면 어떻게 살아도 인생이다. 이는 이속(離俗)의 삶이 되어버린 나를 즐겁게 하는 일이다. '토닥, 토닥'을 하지 않은 인생을 살아왔어도 '내 인생일 뿐'이라는 생각을 태연히 할 수 있으니 말이다. 그러나 이 삶으로 인해 무너진 '혈연의 애(愛)'가 있고 이로 인한 평생의 '고(苦)'와 '비(悲)'가 있고 보면, 누가 뭐래지 않아도 잘못된 인생이요, 바로 잡아야 할 인생이다. '토독, 토독'을 해야만 하는 인생의 정의가 이렇게 있다.

태어난 이상 우리는 그 무엇에건 대상이 되는 존재이다. 대뇌피질의 신경계에 감정, 이성, 감각 등의 정신적 영(靈)은 찰나에서 영원에 이르기까지의 숱한 대상과 조우되고 있다. 거기에는 희로애락의 향연이 파도처럼 끊임없이 철썩인다. 이에 대해 아무런 의미를 갖지 않는다면 사람의 몸이어도 생체 없는 조각품에 지나지 않으리라. 실제로 나는 홀로 걷게 된 삶에 익숙해져 버린 탓에 말없는 조각품이 된 지경에 있다. 인간의 삶치고는 참 별난 구경거리 삶인 셈이다.

우리 누구도 의지할 곳 없는 인생을 살고 싶어 하지 않는다. 항상 누군가의 몸과 마음에 기대어 편안하고도 슬기롭게 살아가기를 원한다. 개개인의 이러한 심사가 멍울져 사랑에서부터 가정의 화목, 사회적 화합, 나아가 인류의 문명이 번영해간다. 우리 서로를 토닥이는 일이 이렇게 필요한 것이다. 우리에겐 이런 책임이 있다. 이 책임을 변절한 내 별난 삶이 망연자실해 하며 몸부림 칠 수밖에 없다. 혈연을 위하여, 사랑하고픈 자와 고독과 우울에 덮인 자를 위하여, 사회의 성실한 환경과 자연의 천연의 환경을 위하여, 이러한 인생살이의 동정(動靜)을 여지없이 뭉개어온 사실에 늘 괴로운 몸부림이요, 참회의 몸부림이다. 이는 당연히 '토독, 토독'에 대한 갈망의 몸부림이기도 하다.

"토독, 토독!"

보리수 작은 잎이 달랑거리고, 원추리 긴 잎이 한들댄다. 얼마나 부드럽고 고운지, 얼마나 자애롭고 평안한지 넋 잃은 평화의 시간이 하염없다. 저 모습 저 소리 없이 어찌 산 사람의 혼으로 부모의 평안을 챙기고, 꽃향기에 연정을 생각하고, 눈 내리는 밤의 화롯가에서 아이에게 콩쥐팥쥐의 동화를 읽어주랴. 내 죽어 다시 태어날 수 있다면, 참 저 모습이고 싶다. 토독, 토독! 토독, 토독! 하염없이 가랑비 내리는 날의 은총이 되고 싶다. 버렸고 잊힌, 내가 사랑해야할 모든 것들을 위하여. 또 내가 사랑하고픈 모든 것들을 위하여. ♣

더위를 그린 풍경화

아무도 알기를 바라지 않는다. 그래서 누구에게도 말한 적이 없으니 아무도 알지 못한다. 한여름이면 무조건 30도를 넘어가는 방에서 내가 살고 있다는 것을.

지금은 33도다. 오래된 선풍기 한 대 돌아간다. 이 선풍기는 20년이 넘었지만 신통방통하게도 고장 한번 없다. 하도 오랫동안 사용하다 보니 불알친구와 다름없는 선풍기다. 이 정도면 이름을 아니 지어줄 이유가 없다. 내가 지어준 이름은 '기차화통'이다. 어디가 마모되어 그런지 시종일관 그르렁거리는 소리를 내지르며 뜨거운 열풍을 토해내기 때문이다. 방안에 갇힌 33도의 뜨거운 공기를 빨아들여 뱉어내는 식이니 열풍이 될 수밖에 없다. 그야말로 열풍기다.

이런 열풍기를 왜 틀어놓나 싶겠지만, 이것만이라도 없어 보라. 나는 사막의 낙타가 아니다. 그리고 중요한 것은 그를 이용해 나를 시원하게 만들 방법이 있다.

사람은 절대 죽으란 법 없다. 발버둥 치고 둘러보면 무엇이던 잡을 것이 있다. 봐서 따르고 싶은 것이면 그것이 잡을 것이요, 느껴서 편안해지는 것이면 그것이 잡을 것이요, 이야기를 들어서 웃고 싶은 것이면 그것이 잡을 것이다. 참 많다. 나는 그것들을 믿으려고 한다. 순간을 이겨낼 수 있기 때문이다. 그것은 또 하루를 이겨내게 되는 것이고, 고된 삶을 이겨내게 되는 것이다.

그런데 역시 산목숨 죽으란 법 없듯이 내게 그런 잡을 것이 있다. 지하수다. 이렇게 무더운 여름이면 나는 지하수를 잡는다. 가난 탓에 엄두도 내지 못하는 에어컨 대신 지하 수십 미터에서 올라오는 지하수가 내 곁에 있다.

지하수는 참 차가운 빙하의 물이다. 이어지고 이어진 수맥을 따라 흐르고 흘러 내 집까지 온 것이다. 피부가 섬뜩할 정도로 차디차기에 그렇게 믿는다.

나는 그것을 양철 대야에 담아 방안의 내 의자 곁에 놓는다. 그리고 수건으로 문질러 적시거나 분무기로 뿌려 몸을 적신다. 이 촉촉한 피부에 '기차화통'의 열풍을 맞이하면 갑자기 빙수에 목물을 치는 양 소스라치게 된다. '기차화통'에서 완전한 겨울바람이 불어오는 바나 다름없는 것이다.

20여 년의 정이 쌓일 수밖에 없는 우리들이다. 우리는 이렇게 극한 더위의 시간을 이겨내 왔다. 죽을 듯싶으면 몸 적시고, 살 듯싶으면 밥 먹고, 또 죽을 듯싶으면 몸 적시고, 또 살 듯싶으면 미뤘던 일들을 한다. 참 재밌게 하루가 지나가고, 참 산목숨 열렬히 살려는 하루가 이렇게 지나간다.

해 지는 무렵이면 그 자체만으로도 당장에 시원해지는 느낌이다. 열대야가 있건 말건 뜨거운 태양이 사라지는 것만으로도 축제 같다.

축제의 환호성은 '야!'가 아니라 '살았다!'이다. 어차피 해 지는 무렵은 무더위로 칭얼거릴 시간이 아니다. 삶이 고착되는 영속의 시간이다. 그 익은 냄새가 저 하늘에 번져오고, 내 마음에도 번져온다.

우리 인간이라면 전부 다 해당하지 않을까? 그래서 저녁 무렵을 찍은 사진이나 그린 그림, 작가들이 쓴 글에도 그 익은 냄새에서 풀어내 온 평화가 있고, 안식이 있고, 향수가 있었던 것이 아닐까?

평화, 안식, 향수, 이들은 우리들의 불행을 달래려는 어떤 사람의 명연설보다도 더욱 명확한 달램을 준다. 그들과 있으면 갖가지 형태로 뒤얽힌 사념이 절로 풀린다. 진정한 피서란 이런 것이 아닐까? 잠시 떠나갈 떠나올 모든 흐름이 멈추는 상태, 문득 열반이라는 안식이 영혼에 스미는 기분, 해 저무는 저녁이면 이런 축제가 펼쳐지는 것이다.

이때 나는 당연히 바깥에 나와 있다. 몸이 절로 해방되어 희뿌연 열기를 벗어난 푸름이 선명해진 들길을 걸어가고 있는 것이다.

중간에 나 같은 남자를 지나치게 된다. 나처럼 걸음걸이가 여유롭다. 분명 저녁의 편안한 공기를 즐기러 나왔다고 믿을 수 있다. 그런 남자가 뚜렷한 대면도 없이 스쳐 가며 외친다.

"아따, 이제 좀 살겠구먼."

그도 내 심정을 이해하고 던진 말임이 분명하다. 당장에 정겨운 인사로 들린다. 우리는 36.5도 인간이고, 무더위는 이런 우리에게 매우 공평한 감정이 흐르게 한다. 더위 좋아하는 여자, 추위 좋아하는 남자가 따로 있을 수 없다. 몸은 그대로 36.5도이고 그저 '체질상 가급적'이라는 욕망을 품는 것일 뿐이다. 당연히 몸 온도 1도 더해지고 빼지는 문제가 아니다. 이 문제라면 욕망의 문제가 아니라, 병 문제이다.

나와 똑같이 더워하고 나와 똑같이 시원한 해방감에 들길을 나온 남자를 만난 것은 기분 좋은 일이다. 쉽게 인사하며 쉽게 서로를 공감할 수 있는 사람들, 이 관계 속의 우리는 언제나 화평 속에 있을 수 있는 행복한 존재들이다.

인사를 나눈 남자가 지나간 뒤 저녁노을이 더욱 아름답다. 은빛, 금빛, 주홍빛, 다홍빛, 보랏빛, 푸른빛, 그 어느 빛으로건 이 시간의 노을은 순정이요, 온화이다.

사람들은 왜 이 깨끗하고 포근한 저녁노을을 종교로 삼지 않을까? 고요히 걸으면 산들바람의 간지러움이, 참나리꽃에 바라보면 아름다운 감미로움이, 강가에 앉아 손 적시면 그냥 터지는 웃음. 삶이 참 좋다. 거기 율법과 제식에 목메는 모습들이 참 우습다, 우습다.

들길을 지나고 산언저리를 스치고 이웃 마을을 기웃거리는 저녁 무렵의 산책으로 하루가 즐겁고 고마운 은혜로 멍울진다.

한 바퀴 들녘을 돈 뒤 돌아온 어스름한 집이 언제 더위와 맹렬히 싸우던 전쟁터였나 싶을 정도로 고요하다.

툇마루에서 손이 닿는 스위치를 눌러 주인인 양 들어와 앉아있는 어둠을 쫓아낸다. 그리고 알게 된다. 아직도 방안은 전쟁터인 것을.

고여 달떠있는 열기가 속절없이 훅 덮쳐온다. 어두운 그대로 두었어야 했나 싶다. 동쪽과 서쪽으로 난 두 개의 작은 외여닫이 띠살문들을 활짝 열어젖혀 놓고는 다시 뜰에 내려선다.

짙어지는 어둠 속의 사위가 고요하다. 이 고요만으로도 금방 방안의 화염을 잊히고, 이 자체로 시원해지는 느낌이다.

어째서인지 모르겠지만 어둠은 모든 부정적 의미를 내포한 사악한 기운을 품고 있는 것으로 인식되고 있다. 그래서 어둠을 싫어하는 사람이 많다. 그러나 밝음으로 인해 들떴던 모든 것들을 진정시키고 나타나는 이 깨끗한 어둠의 고요.

나에겐 즉시 밝음보다 더 거룩한 세계로 포용 되고 마음이 경건해진다. 또 그만큼 시원해지는 것이다. 이렇게 뜨거운 한여름의 분위기에 있어서는 더더욱.

아, 한 여름 더위가 아무리 덥다, 덥다 해도 하루의 다채로운 순환에 이리저리 물러서고 만다. 이 축복을 아는 자체가 더위를 이겨내는 비결이다.

그리고 조금 후 내 방에서는 다시금 기차화통 소리가 요란하다. 한 여름 더위를 이겨내는 비결의 순환이 또다시 시작되는 것이다. ♣

피서지로 흐른 새벽 산책

풀잎의 이슬들은 그다지 큰 빛을 내지 않는다. 아마도 어느 정도의 어둠과 함께 있기 때문일 것이다. 그런 까닭에 나는 이슬에 대해 큰 신경을 쓰지 않고 들길을 걷는다. 새벽 산책인지라 청량함을 만끽하는 일 외에는 어떤 목적도 없다. 당연히 목표로 한 곳도 없다. 그저 '발걸음 가는 대로', '걸을 만큼 걷자' 라는 무언의 약속만이 있다.

그렇게 걷다가 만난 마을 역시 여전히 잠에 취해 있다. 들길에서 고요히 나타난, 그리고 이웃 마을 사람이기도 한 나에 대해 전혀 관심이 없다. 마을의 목적은 오직 한 가지뿐인 듯하다.

"음, 나 졸려, 계속 잘 테야~"

그러나 어디 그럴 수 있으려고……. 누구 집에선가 닭의 고성이 요란스럽게 울려 퍼진다. 저 요란한 닭소리의 성화는 틀림없이 성공을 거둘 것이다. 지금 이 순간 누구 집에선가 이불자락이 들썩이는 모양이 영락없이 눈에 들기도 한다. 하지만, 그가 누구든 좀처럼 일어나지 못할 것이다. 눈꺼풀에 천근만근의 추를 달고 오로지 꿈속으로만 계속 기어들려고 할 것이다. 그럴 만한 이유가 있다. 때는 한 여름. 온통 뜨거운 화기가 사람들을 덮치고 있다. 낮과 밤 없이 무서울 정도이다.

잠 못 드는 밤! 이 멋진 시어는 사랑의 세계 속에만 있는 것이 아니다. '열대야'라는 고약한 세계의 문화 속에도 뛰어들어 있다. 잠은 피난민처럼 쫓겨 새벽의 세계로 도망 왔다. 한여름의 새벽은 비로소 안도하며 잠들 수 있는 최고의 서늘한 세계다. 새벽 산책을 나선 내가 오히려 이상할 정도이다.

그런가 하면 이 마을은 더 고약한 지경에 빠져있다. 이 마을은 몇 개의 고가들이 있는 민속 마을인 데다가, 바로 앞에 시원한 강줄기와 숲이 있는 유명한 피서지가 있다. 마을의 여러 집이 '민박'이라는 명찰을 달수밖에 없다. 결국 한여름은 이곳 전체가 마치 피난민 수용소와도 같다.

그렇게 복잡하고 소란스러운 움직임은 밤이 늦어도 좀처럼 식지를 않는다. 얼굴이 발갛게 달아오른 아이나 내성적이고 소극적인 몇몇 사람만이 제대로 잠을 청할 뿐이다. 그리고 햇살이 지붕을 만지기 무섭게 다시금 모든 움직임이 살아난다. 결국 온전한 잠의 시간이라고는 새벽밖에 없다. 그러니 이 마을에서는 닭이 제아무리 새벽을 알리는 고함을 쳐도 절대 일어날 시간이 아니다. 역시나 마을은 미동조차도 없다. 골목길이 한없이 고요하기만 하다.

마을을 서쪽으로 관통하는 골목길을 벗어나면 또다시 들길이다. 내가 느려선지 정열 좋은 햇살이 빨라선지 사물이 쑥쑥 밝아진다. 눈앞에 피서지의 여관이 우뚝 서 있는데, 그것도 마찬가지이다. 오가며 수도 없이 보았던 형태를 제대로 나타낸다. 그러나 분위기는 달라서 여전히 깊은 밤 속에 있는 듯하다.

어쩌면 저곳엔 언젠가 무슨 일로 만났던 사람도 있을지 모르겠다. 그가 간밤에 어떤 피서의 축제를 벌였건, 지금쯤 어떤 꿈을 꾸고 있든 나와 다시 만날 때는 오늘 이 한 때의 피서지에서 즐겼던 흔적은 전혀 없을 것이다. 그것은 사뭇 슬픈 일이다. 우리들 사이에 하나의 어떤 시간과 사건이 소리 없이 사라진 것이기 때문이다. 나는 저 여관에 내가 만났던 사람이 없기를 바란다.

낯선이여! 잘 자기를 바라고 좋은 꿈을 꾸기 바란다. 조금 후 그대는 이 뜨거운 여름을 대항키 위한 즐거운 휴식의 북소리를 굉장히 크게 울려야 할 테니.

들길은 금방 도로와 맞닿는다. 잠시 도보 산책이 되던 발걸음을 전환하여 물가로 내려간다. 논두렁을 조금만 따라가면 피서지 바로 위쪽 물가에 서게 된다. 월성계곡이라 불리는 이 하천은 매우 매력적인 풍경과 물줄기를 지니고 있다. 딱히 피서지를 특정할 필요가 없을 정도로 몇 십리에 걸쳐 있는 하천 전체가 피서지가 되어 곳곳에 형형색색 야영의 빛이 드리워진다.

잠시 후 자연스럽게 가게 될 바로 아래쪽은 이 하천의 정점을 이루는 곳이다. 풍류를 즐겼던 옛 선조들의 시선이 아니 머물 수 없는 곳이니만큼 역사적이고 문화적인 유적을 갖추고 있음도 당연하다. 거기다가 현대의 수많은 인파를 지향한 연극공연 무대까지 있다. 이름은 [수승대]이다.

이곳 [수승대]는 내가 살고 있는 마을과 가까운 만큼 내 발길이 잦을 수밖에 없다. 그러나 대부분 내 취향에 따른 고요한 때이다. 오늘처럼 새벽의 산책 때, 저물어가는 저녁 무렵, 가을 나뭇잎이 우수수 떨어질 때, 함박눈이 펄펄 내려 쌓이는 날, 나는 주로 그런 때 이곳을 맴돌곤 한다. 보통은 <등잔불 밑이 어둡다>고 제 집 가까이에 있을수록 무관심하게 되지만, 이곳 [수승대]의 풍취는 나의 취향이나 정서와 매우 잘 맞아서 절로 찾을 수밖에 없는 곳이다. 오히려 피서철인 이맘때는 내가 찾을 수 있는 곳이 아니다. 오늘은 이른 새벽인데다가 '발걸음 가는 대로' 왔더니 이곳일 뿐이다.

내 입장으로서는 역시 피서철에는 들릴 만한 곳이 아니다. 본격적인 [수승대] 지역에 들어서자마자 낯익은 풍경이면서도 매우 낯선 풍경이 나를 어지럽힌다. 각양각색의 텐트는 숲 언저리의 덤불처럼 서로 얽혀져 있고, 텐트 주위에는 의식주의 물품을 비롯한 쓰레기들마저 어지럽게 널려있다. 마치 모든 것이 버려져 방치되고 있는 느낌이다.

어떤 걸림도 없었던 고요했던 산책 길가에는 온갖 줄이 거미줄처럼 얽혀있어 발길마저 조심해야 한다. 그 줄엔 빨랫감마저 주렁주렁 매달려 있어 풍경의 혼탁함을 더하다. 새벽의 청량함, 숲의 향기도 잠시 결별을 고하고 있다. 먹다 남은 음식 냄새, 나뒹굴고 있는 술병의 술 냄새, 담배꽁초 냄새, 덜 마른빨래 냄새 등이 한데 어울려 술집을 들어설 때 훅 풍겨오는 그런 찌든 냄새를 풍기고 있다. 나는 당장에 이곳이 천국인지 지옥인지, 또 다른 그 무엇인지를 가늠해 볼 필요성까지 느낀다.

약간의 숨통을 틔울 수 있는 전망 좋은 자리에 잠시 선다. 그리고 이 모든 풍경을 이해하려고 애를 써본다. 하지만 잠깐만의 시간으로 해답을 내리기 어렵다. 내 곁에 문득 행세가 부스스한 중년 남자가 다가와 쪼그리고 앉으며 하품을 크게 했고, 그로인해 사유의 물거품이 순식간 톡 하고 터져버렸다.

더군다나 내 곁의 이 사람처럼 이제 사람들이 하나둘 깨어나고 있다. 새벽 정적으로부터의 움직임이 서서히 나타나고 있는 것이다. 그러나 그 움직임은 너무 미약해 보인다. 애처롭게도 멍하니 서 있는, 쭈그리고 앉아있는, 꼼지락거리는, 그런 작은 소요만이 그들이 갖는 움직임의 전부다.

보이지 않는 텐트 속은 더할 것이다. 온통 지쳐 쓰러져 누운 사람들……. 마치 이 세상에 태어나기 전부터 쓰러져 누워있었던 것처럼, 그리고 이대로 또 사라져 버릴 것처럼 혼도 없이 누워 있을 것이다.

그런 생각이 미치자 엉뚱하게도 무슨 해답이 풀어져 나오는 것 같다. 자기 세계가 아닌 세계에 놓여 있다는 것! 변화된 세계로서 자기 힘을 얻고 있다는 것! 그것은 천국과 지옥의 문제가 아니라, 삶의 윤회가 제대로 작동하고 있는 세상과 생명의 순리가 아닐는지.

"모두들 좋은 피서 즐기시길…… "

작은 동산의 능선 위에는 조만간 해 뜰 징조가 엿보인다. 새벽의 청량함도 이미 깨어져 버렸다. 나는 서둘러 귀로에 오른다. 변화 없는 세계의 또 다른 하루가 시작됨을 느끼면서. ♣

밤비 속의 행복

주변은 빗방울 소리로 가득 차 그 어떤 행적도 느껴지지 않는다. 오후부터 내린 비는 눈에서 귀로 제자리를 옮긴 후 깊은 밤이 되어도 여전히 세상을 물리치고 있다. 이것이 웬일인지 나는 마치 내게 무슨 행운이라도 일어난 것처럼 가슴이 벅차다. 나의 고독한 천성에 걸맞아서일까? 아니면 인적 없는 은밀함 속에서 완전한 자유의 희열을 감지해서일까?

사람은 때때로 고적해져 보아야 한다. 그래야, 선과 유사한 제 본성을 만나 본다. 그렇듯이 또한 은밀해져 보기도 해야 한다. 은밀함 속에서는 역시 악과 유사한 제 본성을 만나 본다. 그러나 이 생각 뒤에 웃음이 쿡쿡 터진다. 고적하고 은밀한 이 배경 속에서는 무엇을 만나게 되는 거지? 대답할 수 없는 의문에 그렇게 웃음이 터진 것이다.

실제로 나는 애매모호한 지경에 빠져있다. 모든 잡다한 행실을 멈추었을 때 뒤따르는 휴식이라면 아무렇게나 끓인 차 한 잔만으로 안식의 쾌감을 거두어들일 수도 있다. 그러나 비 내리는 밤의 이 배경은 그런 편의를 점잖게 밀쳐내며 사방에서 윙윙거리는 상념을 마구 그러모으고 있다. 잡념이다. 비 내리는 신성한 이 밤에 잡념만이 오직 나를 사로잡는다.

주변의 정적은 끝이 없다. 모든 것이 툭 멈춰버린 듯하다. 그러나 잡념은 그 자체로 살아있는 혼란이다. 주변이 아무리 고요해도 잡념이 드는 순간, 왜바람에 갈팡질팡 나부끼는 깃발처럼 끊임없는 심정의 기복이 울렁댄다. 이런 생각의 환희든 저런 생각의 실의든 죄다 불확실하고 불분명한 갈등만이 증폭된다. 변화의 기복을 나타내며, 불확실한 환희와 실의만을 담배 연기처럼 풀어내는 것이 잡념이다. 그러한 속에 불분명한 갈등이 증폭된다. 숨겨놓은 비밀을 어쩌지 못해 연방 입술을 움찔거리듯이 초조해하고 긴장한다. 내일의 지표가 있는 사람에게는 일관성 있는 환희와 실의가 있다. 하지만, 내게는 불확실성뿐이다.

단지 이따금 내 가벼운 엉덩이를 들게 하고, 제 침묵을 굳건히 지키고 있는 곁문을 내 가느다란 팔로 열게 하는 일이 있건대, 가지런하던 빗방울 소리가 문득 변동을 일으키는 일이다. 바람과 오동나무 잎 때문이다. 곁문을 열면 나타나는 집 옆쪽의 양지바른 곳에는 사람

키만 한 어린 오동나무가 한그루 있는 데, 화단의 수목들 잎은 죄다 메말라 떨어지고 있건만, 이 어린 오동나무만은 이상스레 유난히도 넓은 싱싱한 푸른 잎을 지니고 있다. 그리고 마치 저가 계절에 대항하는 용감한 전투병인 양 여전히 기세 좋게 자라나고 있다.

이 기세 좋은 넓은 오동나무 잎으로 말미암아 방안에서는 마치 수없는 말들이 한꺼번에 질주하는 듯한 소리가 들려온다. 그리고 바람이 불어 잎이 조금이라도 흔들리게 되면, 갑자기 세찬 비라도 쏟아져 내리는 양 착각을 불러일으키게 한다. 이 사실을 지난 빗방울들의 경험으로 잘 알고 있으나, 그래도 번번이 「비가 더 오나?」 하며 자리에서 일어나 곁문을 열어보는데, 거의 대체로 또 속은 걸 확인하고는 실소를 머금고야 만다.

이 장난꾸러기 바람과 귀염둥이 어린 오동나무 잎에 오늘 밤도 예외 없이 속아 내 행복을 잠시 멈추어야 했으나, 그렇다고 기분 나쁜 일은 아니다. 변화 속의 또 다른 생각이 탄생하고, 그 생각은 나의 예지를 탑처럼 쌓게 한다. 그러니 언제든 들려오라, 어린 오동잎의 소리여!

그칠 생각이 없는 듯 보이는 가지런한 빗소리 속에서, 흥분의 여력은 여전히 제 속도를 유지하고 있고, 밤은 희미한 새벽을 알릴 동안 깊고 넓은 공간을 마음껏 펼쳐 놓고 있다. 그렇다면, 재롱둥이 아이도 서둘러 고운 꿈의 세계를 청할 줄 알 것이고, 거리의 불량배도 심중한 안색을 지닐 것이며, 전쟁터의 병사도 깊은 연모에 사로잡힐 이 배경에 나만이 무의미하게 마냥 이곳저곳을 떠돌 수는 없다. 그 무엇의 정당한 행위를 찾고 싶다. 선과 악이 아닌 그 무엇이라도 좋다. 이 깊은 밤 속에서 천사의 미소를 짓겠는가, 분노의 발악을 하겠는가! 지금 내 곁에 포근히 안아 주고 싶은 영롱한 눈빛의 연인이 있는 것도 아니고, 대하면 대할수록 분별없어 보이는 역겨운 정치인이 있는 것도 아니다. 그리고 내 속에도 나만이 있다. 또한, 반드시 그 어떤 등대 불빛 같은 가치와 따뜻한 사랑의 보람을 찾아야 하는 것도 아니다.

그래도 진격의 나팔 소리는 듣고 싶다. 병사의 열렬한 기세로써 전쟁의 마지막을 고하는 평화의 깃발을 꽂고 싶은 것이다. 계절의 특성상 흔치 않은 이 밤비를 맞이하고 보내는 축제를 만국기나 불꽃놀이 하나 없는 제전으로 만들고 싶지는 않은 것이다.

이 깊은 밤의 비와 함께라면 그리운 추억의 손목을 부여잡고 울든지 웃든지 해야 할 것이며, 신성한 인생의 길을 떠나 환한 보람을 찾아오던지 지치고 쓰러지든지 해야 할 것이며, 교미 중인 들고양이의 저 괴기스러운 소리가 환희의 소리인지 고통의 소리인지를 분간해 볼 수 있어야 한다. 모든 것이 종횡해버리면 잡념이 된다. 그리고 시간만 흘러가 버릴 테고, 비 내리는 밤은 무의미해져 버려 모처럼 자연의 환경이 주는 성실한 꿈이나 빛나는 예지를 한낱 물거품으로 만들고 만다.

물론 잡념 속에도 사물의 이치는 있다. 존재하는 것은 존재하는 그 자체로 우주의 질서이다. 다만, 지레 혼돈이라 여기는 거기에서 무엇인가를 찾으려는 태도를 상실해 버리는 것이 문제일 뿐이다.

우리가 듣는 「<소리」는 공중에 떠 있는 어떤 분자의 모음이다. 그들은 공중에서 잡념처럼 종횡으로 흐트러져 있다. 그러나 우리들의 귀에 이르러서는, 어떤 명쾌한 울림이 되어준다. 그들이 질서를 갖추는 과정 속에 그 무엇이 작용하는지는 모르겠다. 어쨌든 잡념을 형편없는 무뢰한으로 치부할 수 있겠는가. 그러한 생각은 추호도 없다. 단지 나의 심적 작용을 나무라는 편이 훨씬 옳다. 이런저런 형편없는 생각들일지라도 신의 예지에 버금가는 놀라운 기적을 발휘할 수 있다.

저 빗방울이 정신없이 어우러진 수증기에서 생겨날 줄 누가 알았겠는가. 또한, 저 빗방울이 하늘에서 떨어질 때, 제 떨어질 위치를 어떻게 알겠는가. 그리고 떨어진 위치에서 제각기 다른 하나하나의 소리를 낼 줄 어떻게 알았겠으며, 그리하여 그 무엇도 몰랐던 이 모든 과정이 지금은 나의 귀에서 소리와 소리가 뭉쳐 화음이 되고, 화음과 화음이 합쳐 내 마음의 희로애락을 시시각각 기적처럼 흔들어 놓지 않는가!

잡념은 분별 되었다. 생각과 생각의 징검다리를 건너는 즐거움이 몰려오고, 이제야 비로소 행복한 것을 알겠다. 빗방울은 여전하고, 밤도 여전히 길다. 이제는 내 생각을 조롱하는 그 무엇도 없거니와, 조금 전 괴기스러운 소리로 나를 잠시 긴장시키던 들고양이들도 가버리고 없다. 그 무엇으로부터도 억압받지 않는 이 순간이 내 자유의 의지를 선물 받은 듯한 행복이 아니고 무엇이겠는가!

비는 예상외로 오랜 생명력을 유지하고 있다. 「언제 그치게 되나?」 하는 궁금증이 일어날 수도 있겠지만, 그렇다고 누가 차가운 밤하늘을 우러러 그 기색을 살필 수 있겠는가. 나는 더더욱 그럴 생각이 없다.

사람은 때때로 고적한 속에 있어 보아야 하고, 은밀한 속에 있어 보아야 한다. 거기에서 무엇을 얻게 되건 상관할 것은 없다. 변함없는 일상생활 속에서의 자신이 한 번쯤은 그 무엇으론 가의 또 다른 세계로 움직여진다는 것이 얼마나 흥미로운 일인가! 더욱이 이런 밤비 속이라면 더욱 적절한 배경이 아니겠는가! ♣

하루의 숲 속 이야기

하루의 숲 속 이야기는 수십 수백 가지.
나와 이야기하는 사람은 없어도 나는 이야기 한다.

산새와 이야기하고,
시냇물과 이야기하고,
비비추와 옥잠화, 은방울꽃과 이야기하고,
넘어져 썩은 참나무와 줄지어 둥지 삼은 운지버섯과 이야기하고,
고사리 꺾는 이유와 취나물 뜯는 이유를 이야기하고.

돌아오는 길에 나는 노래한다.
내 집을 떠나 낯선 곳으로 돌아간다고,
이야기 할 사람 한사람 없는 고독한 거리로 돌아간다고.

언제쯤 돌아가는 길이 뒤바뀔는지
그 이야기는 아직 끝을 맺지 못했지만,
그래도 끝끝내 노래할 것이다.
낯선 곳을 떠나 내 집으로 돌아간다고,
나와 이야기하는 사람은 없어도 이야기한다고.

수십 수백 가지
하루의 숲 속 이야기들을.

숲속의 비밀정원

몹시도 매혹적이어서 사시사철 종종 가는 장소가 있다. 언제나 그대로 있는 장소이고, 좋은 감성을 얻는 장소이다. 계절로 인한 채색의 변화가 있고, 그에 따른 감성의 변화는 있어도 인적에 의한 변화는 전혀 없다. 들르자마자 가장 먼저 커피 한잔에 매료되는 일이 습관이 되었다. 자유로운 안식의 기쁨이 치솟는 상황이어선지 커피가 유달리 맛나기 때문이다. 천연의 장소인 탓에 무궁한 묘리를 가진 자연의 핵산 가루가 커피 속에 뿌려지는 것 같다고 여긴 적도 있다. 그곳에서의 커피 맛은 그렇게 달콤하다.

그 장소는 내 성향에 있어 사랑의 섬광이 터지는 얼굴 같았다. 속절없이 좋아하게 할 수밖에 없었다. 나뭇잎 사이로 스며드는 햇살, 맑게 흐르는 실개울, 풀벌레나 새들의 소리, 또는 은둔, 신성, 권태 따위들이 모두 적절하여 만사태평을 이룬다고나 할까. 온종일 한순간에도 평화로움을 놓치지 않는 곳이다. 그 장소는 남덕유산의 어느 골짜기 품에 있다.

십리길 거리에 있는 내 시골 거처에게는 미안한 일이지만, 나는 그곳을 사랑하여 꽤나 많은 시간을 그곳에서 보내고 있다. 물론 오두막을 짓고, 솥을 걸고, 탁자를 놓은 무슨 살림살이를 채비한 것은 아니다. 아니, 그렇게 하고 싶어도 할 수 없다. 내 조국의 땅에 관한한 그 어느 곳이건 '자산'과 '소유'라는 불가침조약이 맺어지지 않은 곳이 없다. 우리는 그것을 상호간의 약속이요, 사회적 질서로 삼아 마치 천국을 이룬 양 내심 만족하고 있다. 이 만족을 깨트렸다가는 죽사발을 당할 일이다. '자유'라는 공허한 외침 외에 항변할 이유도 마땅치 않고 보면, 내 조국의 숲 속은 자기 소유의 땅이 아닌 한 그저 빈손으로 갔다가 빈손으로 떠나오는 것이 최상이다.

나만의 비밀정원이라고 여기는 장소지만, 항상 빈손으로 갔다가 빈손으로 떠나는 홀연한 나그네의 족적만 남기고 있을 수밖에 없다. 물론 커피를 위해 물을 끓일 작은 도구나 커피 잔을 지참하고 가기는 한다. 허기를 채울 빵이나 책, 노트 등도 있다. 그러나 그런 작은 이

동성 물질들이 그 자리에 뿌리를 내리고 주인인 척 할 염려는 없다. 그 장소엔 결코 나의 흔적이 남지 않는다.

그 장소에서 내가 하는 일이란 겉으로 보아 극히 단조롭다. 다양성 속에서 복잡하게 사는 현대인의 눈으로 보자면, 그저 '심심한 곳'이라거나 '시간낭비'라는 지탄을 받기에 딱 알맞다. 실제로 하루 동안 이곳에 있을 때 내가 하는 일이란, 도착하면 심호흡 한번 크게 내쉬고, 졸졸 흐르는 물결에 손을 한번 적신 뒤 커피를 타고, 그리곤 깨끗한 돌 위에 앉아 몽상과 사유를 즐기는 일. 문득 유성처럼 돋보이는 사유가 생기면 노트에 적는 일, 이윽고 배가 고파서 빵으로 허기를 달랜 뒤 느긋이 두 잔, 또는 세 잔째의 커피를 마시는 일. 때로는 잠깐 솔잎 깔린 평지에 드러누워 수면을 즐기는 일. 이런 행위가 거의 전부이다.

주변을 둘러보는 일도 당연하다. 낙엽송, 팥배나무, 고추나무, 개다래덩굴 등 몇몇은 낯익어 정들었고, 그밖에도 말없이 생존과 생명의 가치를 일러주는 무수한 식물들이 있다. 해마다 틀림없이 새싹이나 새순의 태동에서 낙엽의 소멸까지, 또 앙상한 가지로 꿈꾸는 겨울을 보내는, 그러한 온전한 생명의 순환을 나타내는 식물들을 볼 때마다 여간 신기한 것이 아니다.

식물들에게는 '교육'이 없다. 그러면서도 자신의 생애를 치룰 수 있는 필요한 모든 것들을 너무나도 정확하게 알고 행동한다. 나는 단 한 번도 식물들이 자동차를 몰아 은행을 가는 것을 보지 못했다. 과학적 기술과 금전이 없어도 그들의 사회는 무리지어 번창한다. 오직 제 자리에 있다는 것. 그것만으로 그들은 종족번식을 하고, 세콰이어 나무처럼 몇 십 미터를 자라기도 하고, 강철소나무처럼 몇 천 년을 살기도 한다. 시도 때도 없이 나타나는 이런저런 사고의 소식을 접한 뒤 금방 삶의 위태로움과 두려움을 겪는 현대인으로서 그 발견은 틀림없이 기적이다. 생물학적으로는 무리일지라도, 최소한 어떤 교훈은 얻는 것이다.

호흡은 우리가 존재할 수 있는 최고의 명목 중의 하나이다. 나는 좁은 콧구멍을 지녔거나 작은 폐를 지니고 태어나선지 입을 벌리고 숨 쉬는 습성이 있다. 그로 인해 지금까지 살아오는 동안 코로 숨 쉬는 누구보다도 많은 세균이나 중금속 물질을 들이마셨음은 분명하다. 그럼에도 신기할 정도로 건강하다. 가난한 홀몸의 삶을 지닌 자로서 음식, 운동, 영양제 복용이라던가 하는 몸 관리가 전혀 이루어지지 않는데도 말이다.

건강한 이유는 딱 하나다. 약초꾼으로서 해맑은 공기의 전당인 숲에 있다는 것! 그 연장선상으로 이렇게 해맑은 정다운 장소를 두고 있다는 것! 이것은 마치 잘 꿰어진 조화의 섭리 같다. 만약 내가 입을 벌리지 않는 습성의 인간이었다면 숲과 그 장소는 나와 무관한 것이었을지 모르리라. 그런 생각을 분명 해보았다. '죽으란 법이 없다.'라는 말이 달리 있을까 싶다. 물론 나의 이 운명적 사실은 숲에서의 잎사귀 한 장 마냥 부수적인 일이다.

숲 속의 내 장소에 있는 한 단조로운 것은 없다. 심심한 순간에도 몸은 건강하게 빛나며, 시간낭비 속에서도 정신은 선하게 빛난다.

꿈꾸듯 앉아있게 되는 그 장소에서는, 졸음도 쉽게 온다. 하루 중 어느 순간은 결국 한숨 자고 있다. 잠은 나뭇잎을 스치는 공기의 감미로움과 졸졸 흐르는 시냇물의 속삭임 속에서 취한다. 어머니의 자장가와 손길에 잠드는 아기의 모습처럼 지극한 평화와 행복이 있다. 그동안 '피톤치드'는 삶에 지친 나의 말초신경을 부드럽게 쓰다듬어 주고 있고, 두 손을 모아 들이킨 해맑은 시냇물은 나의 세포조직에 달콤한 양분을 분양하고 있다.

숲 속의 그 장소에서는 그렇게 수면 중에도 삶을 북돋우는 보람이 자란다. 보람은 충직한 하인 같이 인생을 돕고, 삶을 돕는다. 곤욕스러운 질병에 걸린 사람에게도 그렇겠지만, 빈곤한 내가 삶의 의욕을 갖는 곳도 숲 속의 그 장소이다. 좀처럼 없는 희망이 살아나는 곳도 숲 속의 그 장소이며, 그래서 나를 포근히 잠들 수 있게 하는 곳도 숲 속의 그 장소이다. 커피 맛이 유난히 달콤한 곳일 수밖에 없다. 당신에게도 한 곳쯤 꼭 가지라고 권하고 싶은. ♣

진양호의 석양

부지불식간에 느끼는 석양이 화색이다. 좋은 일을 만나는 기쁨 같은 행복을 느끼지 않을 수 없다. 이렇게 붉은 석양이 드리울 때의 진양호는 보고 또 봐도 끝없이 이어져가는 한없는 세계의 느낌을 피운다. 이 정경은 여느 석양의 정경과 사뭇 다르다. 파도 철썩이는 섬과 섬 사이에 불처럼 지펴지는 석양의 정경과 다르고, 갯벌 위에서 주단 치맛자락처럼 펄럭이는 서해안 석양의 정경과 다르고, 곡식이 익는 광활한 들판 위의 석양과 또 다르다. 끊임없이 부는 해풍에 끝없이 찰랑이는 물결은 덮은 석양은 다소 동적이다. 하지만 진양호의 석양 정경은 산기슭이 곱게 열린 강기슭 사이에 있고, 오랜 여로의 감회를 정리하는 고즈넉한 수평으로 펼쳐져 있다. 정적인 이 정경은 아름다움을 넘어서 무척 성스럽다.

어떤 하찮은 것도 넓고 깊은 심연을 가지면 무언가 단순치 않은 감회를 만든다. 널따란 석양의 수면 역시 누구도 건드리지 못할 거룩함이 있고 숙연함이 있다. 이 빛에 얼마나 많은 사람들의 감성이 안식에 들었으며, 또 얼마나 많은 사람들의 이성이 순화되었을까. 단지 보는 것만으로도 정숙한 꿈이 그려진다. 붉은 광채에 부서진 산기슭의 윤곽도 순한 사슴처럼 누워있다. 부드러운 몸결 위로 지나가는 새들이 귀로가 행복한 듯 읽힌다. 어디에나 기슭과 기슭의 어디에나 평화로운 요람이 있어 보이기 때문이다. 진양호의 석양 정경은 이렇게 펼쳐진다. 물결은 한낮의 들끓는 세파(世波)이나 호수는 한 밤의 고요한 잠과 같은 것이어서 일까? 얽히고 얽힌 풍물에 걸리는 일도 없고, 복잡다단한 생각도 필요 없는 참 순연한 세상이다.

나는 안다. 그 시원(始原)을. 근육처럼 불거진 여러 준봉들의 수많은 골짜기들 속에서 쪽동백나무의 꽃잎을 띄우고 함박꽃나무의 미소를 받으며 흘러 내려온 물결을. 나는 보았다. 길고 긴 여정동안 온갖 물형과 묘리를 스쳐가는 물결을. 나는 즐겼다. 지리산 엄천강의 물결에 거품을 내거나 남덕유산 남천의 수면 속 은밀한 풍경을. 나는 사랑한다. 내 고향 들판을 스치던 구비지고 여울지는 작은 시내와 그 시내가 만나던 경호강 강물을, 그리고 그 모든 것이 이렇게 넓고 깊은 심연이 되어 석양과 어울리고 있는 것을.

물은 멈춤이 존재하지 않는다. 고였다 싶어도 끝없이 날아가고 끝없이 흘러간다. 석양도 마찬가지다. 한 없이 펼쳐져 영원의 관념을 드리웠어도 끝없이 변화고 지워져간다. 고요의 정물인 진양호 석양의 본질은 사실 그렇다. 현상적으로는 평화롭고 안온하지만, 물리적 운행으로서는 온 지평과 대기를 주행하는 역동적 활동을 지니고 있다. 숨어있는 진양호의 이 역동적 바탕이 있기에 석양 풍경이 저렇게 짙고 저렇게 거룩한지 모른다. 어둠이 온다고 떠나는 것이 아니라, 오히려 몰려들어 시간을 꼭 부여잡고 영영 떠나지 않으려는 사람들까지도 그렇다. 진양호의 노을을 주시하는 붉은 모습들이 경건한 제식 속의 모습들과 같다. 그러나 따뜻하게, 아름답게, 사랑스럽게 온유한 모습들이다. 마치 영원히 그려진 명화처럼.

진양호 기슭과 기슭에도 구석구석 사람들이 얽혀 산다. 가득한 사람이 산다는 것은 무척이나 복잡한 기형기물과 사연들이 정신없이 얽혀져 있다는 뜻이다. 그러나 진양호의 석양은 그 정신없는 소요들에도 전혀 상처받지 않는다. 오히려 온화한 힘으로 복잡다단한 소요를 포용하여 순한 모습으로 다독다독 잠재우고 있다. 그래서 강변 곳곳의 풍경을 갉아 먹은 날카로운 건물들의 모습도 부드럽고, 경호강 강변 바위위에 홀로 남은 뾰족한 여자고무신의 슬픈 회상이 떠올라도 따뜻한 마음으로 풀어진다. 현상적으로 모든 것을 멈춰버린 진양호 석양 속에서는 이렇게 모든 것이 태고의 정적처럼 고요해지고, 해탈처럼 초연해지는 것이다.

진양호를 덮어오는 석양의 정경은 광대한 자연의 정경이 아니라, 인생의 불멸이 침잠된 윤회의 정경이다. 이 사실은 잠시 영원처럼 멈춰진 진양호의 금빛 물결에 황제의 교지처럼 적혀져 있다. 진양호의 석양 속에 서는 사람이라면 언제든지 그 교지를 펼쳐 자신의 영구한 생명을 읽어 볼 수가 있다. 그러기 위해서는 깊은 감성과 철학, 사색 등이 필요할 수도 있겠으나, 진양호의 석양 속에 서면 그 감성과 철학, 사색은 자연스러운 천연의 느낌으로 누구에나 절로 주어진다. 온몸을 감싸는 진양호 석양의 분위기는 물질적 색조의 분위기가 아니라 영혼 깊숙이 스며드는 투명한 감각적 분위기의 색조인 까닭이다. 몽환적인 생각일지라도 나는 분명 그런 느낌에 사로잡힌다.

대부분의 사람들에게 있어 인생은 놀랍게도 부지불식간에 흘러 지나가버린다. 오랜 날을 열렬히 살았다지만, 그 삶을 되돌아보면 실제로는 삶의 이야기가 도무지 어떻게 된 것인지를 알 수 없을 정도로 짧은 분량에 지나지 않음을 느끼게 된다. 그러나 진양호의 석양 속에 안기노라면 인생의 느낌이 달라진다. 잠시 모든 여정의 멈춰지지만 이내 그 속으로 첩첩의 생각이 일어나고, 그로써 인생의 분량이 대서사시처럼 길고 긴 역사로 늘어나는 느낌에 젖게 된다. 인간에게 깊은 감성과 철학, 사색이 주어진다는 것은 유성 같이 빠른 시간을 붙잡아 마음대로 조율할 수 있는 능력이 주어진다는 것과 마찬가지다. 그 조율로써 죽음을 물리친 영혼을 얻고 인생을 영구히 펼치게 되는 것이다.

이처럼 한없이 바라보고 있는 안온한 정적의 진양호 석양은 모든 거룩함을 금빛으로 감싼, 마치 만첩의 보약냄새같이 신비롭다. 이 속에서 숨 쉬노라니 그 짙은 향으로 말미암아 영원히 지속될 세상의 힘을 느낀다. 우리 인생의 경건하고 행복한 가치에 꼭 필요한. ♣

장맛비 내리는 시간

비가 내린다. 장맛비라 그런지 양이 많다. '쏴' 소리가 오랜 시간 지속되고 낙숫물이 요동치고 있다. 이슬비의 순수함도, 보슬비의 낭만도, 가랑비의 추억도 생기지 않을 비다. 사방의 표면에 거세게 부딪혀 산산조각 터져나가는 모습, 사방의 표면을 매몰차게 두드리는 소리. 이런 공격성 있는 빗속에서 누가 거룩한 꿈을 꿀까. 이 장맛비는 그저 누구에게는 무슨 일 당할까 봐 걱정되는 재난의 비요, 누구에게는 하고 싶은 일을 할 수 없게 하는 독재의 비요, 누구에게는 지레 포기하고 널브러지는 체념의 비다.

현실의 어떤 감정이건 시간이 흐르면 물러진다. 대체로 그렇다. 거센 빗줄기에 시간이 계속해서 엎치고 덮친다. 마당이 뿌연 하늘빛으로 채색된다. 누군가 그 우중충한 모습이 보기 싫은 모양이다. 빗방울로 마구 이지러뜨린다. 수면이 어지럽다. 어지럽다. 어지럽다. 이렇게 한동안 어지럽더니 몽환이 생긴다. 무언가 치장을 하고, 무언가 소리치고, 무언가 노래하고, 무언가 춤춘다. 웅장한 뮤지컬이다. 종합예술이다.

어느덧 관객이 되었다. 다사다난한 배우들의 복장. 그들 소리 속의 의미에 인생의 길을 만들어 걷고, 노래의 분위기에 감정을 빚어 흔들고, 춤의 유희에 삶을 만들어 읽는다. 이들이 구분되는 것은 아니다, 화단의 여러 나무와 화초들, 벽과 돌들, 전깃줄과 새들, 이런 이외의 모든 것들과 한꺼번에 연출되어 하나의 세계를 만든다. 세계가 되니 나에겐 모든 것이 생긴다. 다만 내가 무엇을 부여잡고 절망할까, 희망에 찰까 만의 문제만 있을 뿐이다. 그러나 이 문제는 이 세계 건너편에 있는 이정표일 뿐, 몽환에 빠진 나는 여기서 모두가 있는 이 충만한 세계에 대한 사랑에 젖을 뿐이다.

이 빗속에 모두가, 모두가 제 삶이 있다. 가만히 보라. 하긴 거센 빗속에서 우리는 어차피 가만히 있다. 이 고요한 정적은 날이면 날마다 있는 기회가 아니다. “제발 나를 내버려두세요.”, “제발 나를 쉬게 해 주세요.” 몸과 마음이 정신없이 돌아가는 세계 속에서의 우리 인생의 절규다. 우리의 처절한 희망이다. 그러나 이는 애석하게도 우리의 헛된 염원이다. 권력자는 권력 중심이지, 절대 애민 중심이 아니다. 그 때문에 그들로부터 우리의 자유와 휴식을 절대 기대할 수 없다. 우리는 그저 운 좋게 하늘이 내린 특별한 시간에 안겨 고요한 정적을 맛볼 뿐이다. 장맛비에 갇혀 가만히, 가만히 있는 것이다. 그리고 보게 되는 것이다. 저마다 저토록 부지런히 살고 있는 모습들을, 저마다 저토록 농담 깊은 형체를 만드는 모습들을, 저마다 저토록 심기 있는 뜻을 만들어 가는 것을.

일일이 생각하고 싶지만 너무 많다. 생각을 강제 받지도 않는다. 자유롭다. 생각은 나비처럼 이리 팔락 저리 팔락 마음대로 난다. 물결 찰랑이는 저 마당에 다른 무성한 풀들과 함께 민들레가 즐비했다. 저희들 마음껏 자랄 들녘이면 얼마나 좋으랴. 사람이 수시로 보는 마당이요, 내가 시도 때도 없이 자근자근 밟는 마당이다. 나도 견디지 못하고, 저희도 견디지 못할 상황이다. 처치해야 마땅한 지경이었지만, 그러나 민들레는 좋은 약초이다. 약초꾼인 내가 모를 리가 없다. 차마 정리를 할 수 없었다. 마당 곳곳에서 꽃이 피고 지는 일이 매년 반복되었다. 민들레로 어지러운 마당이 되었고, 어느 해 결국 사건이 터졌다. "하이고, 민들레만 묵고 사나?!" 직설적 성격인 이웃집 노파의 조소가 있었다.

이웃집 노파의 조소가 있었던 직후 민들레들은 다른 풀들과 함께 밑동이 싹둑 잘려 마당 한편에 한 무더기로 놓였다. 다음 날이었다. 새벽에 나서 오후에 들어오는 외출 후 귀가한 내 눈에 문득 하얀 별들의 천계가 펼쳐졌다. 참으로 놀랄 만한 신비로운 풍경이었다. 그러나 그 풍경은 신비함과 아름다움으로 즐길 풍경이 아니었다. 종족 보존을 위한 존재 의지, 그를 위한 지고한 생의 애착, 민들레들은 시들어 죽는 경과 속에서도 생명의 숙명에 대한 최고의 헌신을 하고 있었다. 놀라운 순간이었고, 당황스러운 순간이었다. 그 풍경은 당장에 거룩한 존재로 내 가슴을 짓눌렀다. 좀처럼 자리를 떠나지 못하고 한동안 묵묵히 바라보는 동안에 바람이 스치고, 그 바람결에 몇몇 씨나래가 훨훨 퍼져 마당 여기저기에 내려앉았다.

내 집 마당에서 민들레의 삶은 그렇게 스스로를 지켜 여전히 계속해서 태어나고 자란다. 그리하여 이 비의 뮤지컬 속에서도 민들레의 노랫소리는 어김없이 들린다. 소리는 그뿐만 아니다. 지금 이 장맛비 속에서 당신은 산비둘기 소리를 듣고 있을지 모른다. 당신은 아닐지라도 이렇게 비가 내리는 속에서도 '구우, 구우, 구우' 우는 산비둘기 소리를 누군가는 분명 듣고 있을 것이다. 그리고 생각하겠지. 청승이라고 하려나, 처량하다고 하려나? 나도 다르지 않아 '이 빗속에서 왜 저래?'했었다. 인간이 새의 마음 알 수 없으니 의문만 들 수밖에. 이 역시 지난 일이었고, 자주 있는 일이고, 또 생겨날 일이다. 시골 마을이 있는 한 분명 하다. 그러기에 이것 또한 하나의 정들은 세계다. 빗속의 산비둘기 소리는 오늘 또 이 빗속에서 생각으로 스쳐간다.

우리가 어찌 햇살 아래서만 살겠나, 우리가 어찌 햇살만 바라보고 살겠나. 잘 알기에 밤의 어둠도 기다리며 살고, '쏴' 내리는 비도 기다리며 산다. 오늘은 '쏴' 소리를 내는 거센 장맛비 내리는 날이다. 오래오래 내리고, 오래오래 바라보고 있는 비다. 꼼짝도 못 하고 가만히, 가만히 앉아 이 세상 삶을 다 연출하는 뮤지컬 공연을 관람한다. 그중에 스친 생각. 이 공연이 끝난 후 나는 민들레의 지고한 삶을 다시금 내 삶의 자양분으로 보충할 것이다. 민들레가 아닐지라도 또 다른 무엇으로부터 또 다른 무엇을 자양분으로 얻었을 것이다. 이렇게 거친 비 내리는 데도 가만히, 가만히 보고 있으니 세상의 모습들 모두가 참 거룩하다. ♣

가을을 느끼는 순간들

감나무 잎들 속에서 밤낮 없이 소나기처럼 쏟아지던 매미소리가 갑자기 뚝 그쳤다. 문득 가을을 느꼈다. 이제는 그 자리를 밤낮 없이 툭툭 떨어지는 감들이 채우고 있다. 바람에 하나 둘 땅에 떨어지던 감들은 어느새 노란 속살을 채운 채 떨어져 벌과 개미들의 목젖으로 흘러간다.

힘 잃은 감나무 잎들이 쉼 없이 떨어져 낙엽의 체전을 준비한다. 푸른 잎들 사이로 노랗고 붉은 점박이 잎들이 하루가 다르게 쑥쑥 모여든다. 한동안 그들의 함성이 마당에 가득 울릴 것이다. 그 함성이 그칠 때까지 끊임없이 마당을 쓸게 된다. 그렇게 소일거리를 하나 얻었다. 그러나 그 대신 소일거리를 하나 잃었다. 한 여름 내내 치러온 풀들을 정리할 일이 없어져 버린 것이다.

나는 풀들을 사랑한다. 약초를 배우고부터는 더욱 그렇게 되었다. 알고 보니 마당의 풀들은 모두 약초였다. 그를 알고부터 개울의 깨끗한 돌들이 몇 개 옮겨 징검다리를 만들었다. 내 발길은 개울을 건너듯 징검다리를 건넌다. 풀들이 개울이 된 셈이다.

밭을 집터로 만든 탓에 마당은 비옥하다. 손질을 하지 않는 한, 풀들의 천국이다. 어디선가 날아와 핀 흰민들레가 자라는가 하면, 쇠비름이 사방에서 붉은 줄기를 뽐내며 개미의 숲이 되어있고, 화단에 심어둔 금전초와 담장을 뒤덮도록 심어둔 담쟁이넝쿨이 슬금슬금 마당으로 기어 나와 영역을 넓혀가고 있다. 뒤 안의 음지에는 언제부터인지 고사리류가 자라고 있고, 그 아래엔 우산이끼가 잔뜩 깔려 개미들에게 태고의 원시림이 되고 있다. 화단에 심어둔 접시꽃 씨앗이 사방에 튀어 하루가 멀다 하고 새싹을 피우고 있다. 그 옆을 비단풀이 유리창의 성에처럼 번져가고, 이름을 채 모르는 더 많은 종류의 풀들이 치열한 자리싸움을 하고 있다. 그대로 가만히 두면 온통 풀숲이 되어 폐가의 마당이 되는 것은 시간문제이다. 어떤 변명에도 불구하고 사람이 사는 집으로서는 욕을 듣기에 딱 알맞다. 그래서 한 여름 내내 시원한 때를 이용하여 그들을 적당히 정리정돈 했어야만 했다. 그러한 풀들이 갑자기 성장을 멈추었다. 한 여름이면 돌아서기 무섭게 숲을 이루던 풀들이었건만, 며칠 전 정리정돈 해놓은 그 모습 그대로 있다.

낙엽을 보면 무엇인가 오고 있는 것 같고, 풀들을 보면 무엇인가 가고 있는 것 같다. 그러니 슬퍼해야 할지 기뻐해야 할지 알 수는 없지만, 문득 가을을 느꼈다.

매미 소리에 덮여 있던 풀벌레 소리가 보름달처럼 선명해져 버렸다. 이름만 알았더라면, 교단에 선 선생님처럼 하나 둘의 얼굴을 쳐다보며 이름을 부를 수 있을 정도다. 그러나 그 이름을 도무지 모르니 이렇게 부르게 된다. '어이, 거기 앓는 소리를 하는 놈!', '어이, 거기 밥그릇 긁는 놈!', '어이, 거기 탬버린 흔들고 있는 놈!' 이라고 말이다.

귀뚜라미 소리가 들린 지는 이미 오래, 그러나 내 심중에 있었던 적은 없다. 그냥 운다고 여기고 있을 뿐이었다. 하지만, 며칠 사이에 방안에서 우는 귀뚜라미 소리를 들었다. 그리고 엊그제는 한밤중 주방의 불을 켜자 아주 작은 귀뚜라미 두 마리가 바닥에 놀고 있었다. 갑작스런 불빛 때문이었을까 달아나지도 못했다. 손 그림자가 덮이자 비로소 폴짝 뛰어 구석으로 들어가 버렸다. 허전한 손길과 함께 문득 가을을 느꼈다.

더운 방안의 창가에 앉아 꾸벅꾸벅 졸 때는 언제나 산비둘기 울음소리가 있었다. 산비둘기의 울음소리는 먼 나라로 떠나는 항구의 뱃고동처럼 울렸다. 그리고 나를 현실의 기항지로부터 떠나게 했다. 조금 후 나는 아무 것도 없는 망망한 대양을 아무런 혼(魂)도 없이 항해하곤 했다. 그것이 문득 사라져버렸다. 언제 창가에서 졸았는가 싶다. 대신 흰 두루미가 푸른 산맥을 가로질러 날아가고 있는 모습이 눈에 띈다. 흰 두루미는 매우 안정된 호흡을 갖고 있는 듯 고른 날갯짓으로 반듯한 항로를 잡아 날아가고 있다. 가까운 곳으로 가는 몸짓이 저렇게 안정될 수 없다. 먼 곳으로 가는 것이 분명하다.

창가 옆쪽에 있는 담장은 이미 오래전에 한쪽이 넓게 무너져 들고양이들의 자유로운 통로가 되고 있다. 그곳을 통하여 창가에 가만히 앉았어도 매번 같은 종류의 농작물이 아닌, 해마다 다른 농작물의 생애를 엿볼 수 있다. 올해는 콩밭이다. 농부가 아닌 나로서는 늘 궁금하다. '어찌 자랄까?' 그러나 어떤 농작물이건 미처 눈여겨보기도 전에 쑥쑥 자라 생명의 번성을 이뤄놓곤 한다. 콩밭도 그렇게 무성해져 버렸다. 그리고 그 눈치를 챈지 얼마 되지도 않은 것 같은데, 어느새 노란 잎들이 생겨나 있다.

콩밭 너머로는 푸른 산맥이 있고, 그 위에 시시각각 울고 웃던 하늘이 있다. 봄, 여름이면 늘 산맥과 함께 눈앞에 다가와 때로는 빛나는 푸른 눈동자를 보이고, 때로는 눈물 젖어 호수처럼 찰랑이고, 때로는 붉게 달아오른 유혹의 눈빛을 주던 하늘은 이제 너무 멀어져 아무것도 없는 양 느껴진다. 그러다가 이따금 구름 사이로 비취빛 선녀의 옷자락처럼 곱게 흔들린다.

모든 일과를 마치고 자리에 누우면 이불자락을 당겨 몸을 감싸게 된다. 며칠 전만 해도 벌거벗은 채 밀쳐내야만 달콤한 꿈속에 들 수 있었던 이불자락이었다. 이제는 달콤한 꿈마저 싸늘한 추위를 피해 두터운 방벽 속에 웅크린다. 이렇게 입추가 시작되었다. ♣

입동의 계절

하나 둘 세어보다가 말았지만, 이제는 셀 수 있으리만치 감나무 잎이 떨어져 버렸다. 그 대신 셀 수 없으리만치 많은 주홍빛 감들이 나타났다. 그러나 모두가 다 같은 색이 아니다. 북녘의 감들은 노란색에 가깝고, 남녘의 감들은 붉은 색에 가깝다. 그 중에는 아주 붉은 홍시도 있다. 이미 몇 몇은 떨어져 산산조각이 났고, 그 중에 조금이라도 온전한 것은 환희의 단물을 제공해 주었다. 곶감을 조금 만들었으면 싶지만, 집 주인의 몫이어서 이미 포기하고 있다. 아쉬운 것도 없다. 이미 천연의 빛과 맛을 본 뒤니까. 그런데다가 내 몫이 있기도 하다. 떨어진 감나무 잎이다.

바람에 날린 감나무 잎은 집안 구석구석을 점령하고 있다. 어지럽다는 생각을 할 수 있겠지만, 으레 그래 온 것이어서 달리 생각하지 는 않는다. 다만 어느 때 쓸어 모아 불태우느냐 만을 생각할 뿐이다. 그런 날이 오면, 훈훈한 아궁이 앞에 앉아 연기와 냄새로부터 많은 이야기를 할 것이다. 봄의 새싹과 여름의 그늘 등을 기억하고 추억하면서 말이다.

담 너머 밭에는 거의 매일을 사부작거리던 마을 할머니도 이제는 보이질 않는다. 텅 빈 밭에 다 털어낸 콩대며, 깻단만이 거룩한 무덤처럼 쌓여 있다. 저들도 조만간 흰 연기를 내며 불 태워질 것이다. 그 냄새에는 안식이 있고 평화가 있다. 따뜻한 말이 절로 나와 "한 해 고생 많았군요."할 것이다. 할머니는 미소를 지으며 이렇게 화답할 것이다. "뭘, 매일 하는 일인데……." 그러면 또 다시 말할 것이다. "이제 겨울도 오고했으니, 좀 쉬셔야지요." 그러면 할머니는 뭐가 또 아쉬운지 이런 말을 할 것이다. "하이고, 쉬면 뭣해. 몸만 늙지!"참으로 옳으신 분, 오래오래 사시길!

조만간 훈훈하게 피어오를 연기를 생각하며, 이렇게 지난해의 인사를 되새겨본다.

콩밭이나 깨밭보다 추수가 늦은 벼들은 이제야 거두어진다. 그러나 진종일 눈여겨보지 않으면, 벼는 사라져 가는데 기척이 없다. 문명의 손길이 순식간 거두어 가버리기 때문이다. 옛날이나 지금이나 수확의 기쁨은 똑 같을지라도 가을 들녘의 정은 크나큰 격차를 이룬다. 어느 쪽을 응원해야 할지 누가 결정할 수 있으랴! 하지만, 정의 내력을 잃은 자가 정의 내력을 지닌 자보다 행복하리라는 생각은 들지 않는다.

즐거운 아이들이 뛰어놀던 추수의 정을 마음에서 지워버리기는 힘들다. 너나나나 할 것 없이 땟자국이 까만 아이들을 불러 모으고 싶다. 아이들의 즐거운 웃음이 많을수록 삶의 안식이 있으리라! 이런 생각이 없다면, 양식이 풍족한 들 무엇 하랴! 투정과 짜증으로 찌푸린 눈매로써 무슨 미래를 바라볼 것인가. 그래도 미래는 다가와 최신의 의자에 앉을 것이다. 의자는 인체 구조를 면밀히 검토하여 만든 것이어서 매우 편안하기도 할 것이다. 그러나 울퉁불퉁한 흙바닥에 주저앉았어도 무슨 놀이를 하건 깔깔거리며 즐거워하는 아이들의 평화로움을 만들어 낼 수 있을까? 또는 낙엽이 툭툭 떨어지는 공원의 나무 벤치에 앉아 독서를 하는 청년의 편안한 자태에 견줄 수 있을까?

문명이 아무리 성장해도 따라가지 말아야 할 것들이 있다. 시골의 자연스런 풍경이 그것이요, 그 풍경을 즐거이 누리는 태도가 그것이다. 논바닥 얼음 위를 쌕쌕거리며 썰매를 타던 아이들아, 겨울이 온다. 오라, 오라!

멀리서 보는 산맥은 갈색을 덮고 있다. 한 부분은 유난히 노란색을 띄고 있는데, 가보지 않아도 낙엽송수림임을 안다. 그 아래 대지는 침엽수 낙엽이 노란 담요처럼 깔려있다. 그 담요의 향기는 가장 왕성한 열정을 품고 있어 절대 비극적인 생각을 못하게 한다. 절망적인 사람이 그 축복을 얻기도 쉽다. 그런데다가 누구의 방해도 없이 침엽수 낙엽 위를 산책할 수 있다. 그러나 그는 어디에 있는가? 축복이란 축복은 죄다 버린 채 바닷가에서 울고 있는가, 호숫가에서 울고 있는가? 낙엽송의 포근한 향기는 늘 홀로 사라져 버린다.

산맥 앞에는 온통 논으로 된 널따란 들판이 있다. 매우 정리가 잘 되어있는 탓에 논들의 통로인 들길은 마치 전혀 조형되지 않은 매끈한 탑처럼 뻗어 있다. 이 길을 오고간 농부들의 지고한 숙명을 기린 금자탑이라고나 할까? 너무 긴 나머지 아예 영원의 세계에 닿아있는 듯하다. 그런 가치, 그런 영광은 충분하다. 사시사철 단단하게 인생의 의지를 품은 길이요, 인류의 번성을 옮긴 길이기 때문이다. 물론 겨울의 침묵 속에서는 광야의 유적처럼 고적하기도 하겠지만, 역사는 죽지 않는 법. 그 유구한 정기는 현대와 미래의 귀감이 되리라!

이제 겨울이 온다. 반대편 대지가 무슨 꽃을 피우건 겨울의 대지의 사람들은 움츠리고, 기어들고, 문을 닫는다. 화사한 햇살과 멀어지고, 산들바람과 멀어진 가슴은 시시콜콜한 이야기, 복잡한 망상, 망신을 당할 만한 사연들과 잦은 접촉하게 된다. 고뇌와 번민이 어둠 속에서 새싹을 틔우기 쉬운 환경이다.

그러나 우리는 아직 채 문을 닫지 않았다. 이제 입동이다. 속이 꽉 차도록 배추를 묶는 부지런한 아주머니의 손길이 아름답고, 그 옆에서 배추 잎 하나를 들고 조잘대는 아이가 사랑스럽다. 아름다움과 사랑이 있는 세계야말로 지복이 있고, 내일을 견딜 수 있는 힘이 있다.

자, 추위가 온다고 지레 웅크릴 생각을 하지 말고, 이런 말을 합시다.

"쉬면 뭣해, 몸만 늙지!" ♣

비와 벽

깊은 밤, 토독토독 겨울비 떨어지는 소리가 들린다. 미처 느끼고 있지 못했을 테지만, 비는 한 방울 두 방울 처녀처럼 사뿐사뿐 왔을 터이다. 그리고 남몰래 토독토독 나를 부르는 것이리라. 처녀의 수줍은 방문이 아니어도, 비를 무척 좋아하는 나로서는 버선발로 뛰쳐나갈 반가움이 있고, 꽃잎이 터지는 기쁨이 있고, 시간이 녹는 감미로움이 있다. 나는 비의 전조 때부터 기쁨을 갖기 시작한다. 비, 비를 좋아하는 것이다. 이렇게 비를 좋아하는 진짜 이유는 비 내리는 풍경의 정서가 좋은 것도 있지만, 사실은 세상과의 별리를 이루는 벽, 벽, 벽이 좋아서이다.

나는 벽을 좋아한다. 벽은 은밀한 공간을 제공하는 불투명한 벽만을 말하는 것이 아니다. 그 무엇이건 사람의 내왕을 차단할 수 있는 벽이라면 무엇이건 좋아한다. 벽 자체를 좋아하는 것이 아니라, 사람과의 사이가 가려지는, 사람과의 사이가 멀어지는 상태를 좋아하는 것이다. 어차피 완전한 차단은 없고, 그러한 욕심도 없다. 두세 번 들르던 사람의 발걸음이 주춤하게 되는 상태이면 된다. 어스름이 내리면 그렇게 되고, 깊은 숲이면 그렇게 되고, 칼바람 누비거나 밑도 끝도 없을 눈이 펑펑 내리면 그러하지 않는가. 그리고 이렇게 비, 비가 내리면 주춤하게 된다. 그러니 어둠이 오면, 깊은 숲이면, 칼바람 불거나 펑펑 눈이 내리면, 그리고 이렇게 비가 내리면 이 깊은 밤이 커튼처럼 걷혀도 거의 대체로 대문은 조용하고, 대문 안의 나는 사람이 오지 않을 것을 즐겁게 믿게 된다.

비가 내리면 모든 움직임이 잦아든다. 계획도 중지되고 약속도 늦춰지며 마음도 뭉쳐져 골몰한 상태가 된다. 당연히 무언가를 할 수 없는 벽에 갇힌 기분을 준다. 이렇게 격리되지만 사실은 사회의 많은 억제로부터 풀려난 자유로운 시간이 소유된다. 비는 열린 벽이다. 벽이기에 가림이 있고, 열려있기에 자유로움이 있다. 비는 사람이 들리지 않는 나만의 무인도를 갖게 해준다. 비가 내리기 시작하면 나는 사방이 물인 섬에서 홀로 자유롭게 태초의 창조를 꾸미는 기쁨을 누릴 수 있다. 비가 만들어 준 이 섬은 죄악, 불안, 두려움, 괴로움과 같은 만나고 싶지 않은 것들이 차단되는 섬! 내가 바라는 내 삶의 위안의 섬이다. 이 섬을 만나면 나는 갑자기 순수해지고 행복해진다. 이

상태는 필시 선량한 세계 속을 여행하고 있는 것이 된다. 그러나 고백컨대 도저히 자랑스러운 일이 못된다.

잘못됨이 있다. 사람으로서 사람과의 별리를 바라는 자에게 어찌 옳음이 있을까. 절대 옳지 않은 일이다. 회한이 생길 이 그릇된 상태를 고집하는 일은 틀림없이 병이다. 나도 모를 내 성향의 병이요, 숙명의 병이다. 오직 자유롭게 되고 싶은, 자유롭게 되어야만 하는 숙명! 이 숙명이 왜 나의 것인지 나는 잘 알지 못한다. 당신에게도 이런 상태의 무언가는 있지 않나? 나와 반대로 사람을 너무 반기는 상태라던 지, 한사코 박박 문질러 씻어야만 적성이 풀리는 상태라던 지, 무조건 뛰어야 살 것 같은 상태라던 지, 죽자 사자 돈을 모아야 만족하는 상태라던 지, 하염없이 여행을 돌아다녀야 살 것 같은 상태라던 지, 실제로 이런 상태들을 보이는 사람은 많다. 더하지도 않고 덜하지도 않게 적당히 하면 좋을 일이건만 섬뜩할 정도로 자기 취향과 성향에 매달린다. 나는 그러한 당신을 딱하게 본다. 당연히 당신도 나를 딱하게 본다. 우리는 이렇게 우습다, 우습다!

괴로운 슬픔이 아님이 다행이다. 억지로 구겨 넣는 강제성이 없어 다행이다. 더욱 다행인 것은 벽 속에서 은밀히 음험한 수작을 음모치 않아 다행이다. 따지고 보면 너울가지가 조금도 없는 내게 있어 사람들의 발걸음을 주춤케 만들어 주는 벽은 매우 자연스러운 선택이 될 수밖에 없다. 당신 역시 당신의 단점에 은총을 내려주는 것이 있을 것이다. 내가 아는 어느 여성에게는 긴 치마가 은총이었다. 그녀는 항상 발목까지 수양버들 같은 차양을 치렁치렁 내렸다. 키가 커서 늘씬한 것 같은데도 단 한 번도 금강송 같은 쭉 뻗은 바지를 입지 않았다. 그녀는 군중의 거리를 거닐 때마다 콩닥콩닥 심장 뛰는 선천적 안짱다리였고, 긴 치마 선택은 성숙과 함께 자연스러운 것이 될 수밖에 없었다. 나에겐 벽, 그녀에겐 긴 치마. 좋고 좋은 것이다. 우리는 이렇게 자기 나름의 숙명을 갖는다.

비는 긴 밤과 함께 내 숙명을 더욱 신명나게 만든다. 참 좋다, 좋다! 이 순간에 정말 아무도, 아무도 오지 않을 것이다. 아무도 나를 보지 않고, 아무도 나를 막는 방해를 하지 않을 것이다. 나는 이 자유를 사랑한다. 약초꾼이 된 이유가 달리 있는 것이 아니다. 인적 없는 숲의 자유가 좋은 것이다. 벽과 자유는 숙적의 관계지만, 실은 천생연분이다. 어스름, 칼바람, 숲과 같은 것들과 함께 이 비는 내 삶의 최상의 보호자이다. ♣

2부

자연, 순수한 풍경과 서정

가을의 공기

감나무 잎이 반짝인다. 산들바람에 밀린 물결처럼 맑고, 투명하고, 경쾌하게 반짝인다. 그러나 그 빛은 예전의 빛이 아니다. 울긋불긋 번진 버짐에 세월의 인고가 묻어있다. 문득 애잔한 기분이 든다. 참고 견뎌온 세월이 왜 슬픈 일인지 모르겠다. 인생의 끝은 결국 회한인가? 그냥 스치는 감정이고 싶다. 감나무 잎 너머로 푸른빛인가, 노란빛인가? 어쩐지 연둣빛 같기도 한 들판이 외딴 섬의 철 지난 모래밭처럼 고요하다.

빈 조각배처럼 흐르는 실구름에 하늘은 강이 되어 파란 물결을 살랑거린다. 하늘에 높이 나르는 잠자리들이 호수 속 피라미 떼들의 해맑은 유희처럼 경쾌하게 움직인다. 하늘이 호수인가 호수가 하늘인가. 모든 것이 하나가 되어 밝은 시공간에서 빙빙 도는 듯하다.

푸른 산맥은 행복한 아버지처럼 누워 미소를 짓는데, 그 품에서 문득 산골학교의 풍금 소리 같은 산비둘기 소리가 나지막이 들려온다. 서너 번 울려오는 소리. 그러다가 어느새 고요한 정적이 감돈다. 마치 단잠 속에 빠져든 듯하다. 그러나 마음속의 울림이 멈추지 않는다. 먼 산기슭을 바라본다. 하지만, 산맥은 어느새 졸음에 빠져있다. 벽에 비스듬히 기대어 앉은 채 그대로 잠들곤 하시던 나의 태평한 아버지처럼.

아버지는 늘 그러셨다. 그리고는 어머니의 사랑의 손길로 편안하게 눕혀지고 이불이 덮혔다. 그러나 그들은 서로를 행복하게 해 주진 못했다. 오직 눈물과 눈물만을 건네준 채 떠나가 버렸다. 왜 그랬을까, 왜 그랬을까? 삶과 죽음이 사랑을 감추는 동안 아련한 추억이 밀려온다. 연민인 듯 슬픔이 슬쩍 몰려왔지만 이내 사라져 버린다. 맑고 밝은 햇살에 쫓긴 듯하다.

환한 지평선을 향해 사색의 정혼이 몸을 일으키고, 기척이 사라진 산비둘기 소리의 여운을 따라 마음이 움직인다. 몸을 일으켜 산책을 나선다. 차는 가벼운 날개와 같이 달려 고요한 산 어귀의 들판에 입성한다. 산비둘기 소리는 저만치서 들렸지. 지금쯤 어디에 머물고 있을까? 궁금증은 그리움 속에도 들어 있는 것. 그리움 마냥 아련히 푸른 산맥을 훑어본다.

잎사귀마다 반짝이는 빛. 때로는 하얗게 느껴지고, 때로는 노랗게 느껴지는 환한 열매가 무수히 달린 듯하다. 그 때문에 산맥의 어느 곳도 우중충한 모습을 보이지 않는다. 오히려 너무 찬란하여 이 지상의 모든 혼을 잇아 한 점의 유적도 없는 천연의 대지에 뿌린다. 자꾸만 멍해지는 것이 이상하다. 햇살에 사라진 안개와 같이 나 자신이 망각처럼 녹아 영영 사라져버린 듯하다. 돌아올 길이나 알고 사라진 것도 아니다. 나도 몰래, 내 존재에 대한 느낌이 없을 뿐이다. 한 마리의 백로가 날아가기 전까지는.

백로는 그믐달 같이 곱고도 느린 몸짓으로 하얗게 날아간다. 유난히 희어 시야가 제아무리 흐려 있고 정신이 제아무리 혼몽할지라도 반짝 깨어나 새로운 길을 더듬지 않을 수 없다. 저 선명한 순결은 도대체 누구의 선물일까? 푸른 배경이 좀처럼 그를 놓치지 않는다. 그러다가 끝끝내 흰 포물선 한줄기를 그으며 언덕 뒤로 사라진다. 단지 그렇게 보았을 뿐인데 갑자기 텅 빈 허공이 열린다. 푸르거나, 파랗거나, 노란 색채가 있어도 환형처럼 뚫리고, 모든 생기가 예견된 이별처럼 사라진다.

그렇던가! 매년 지우고 또 지워왔어도 끝끝내 지울 수 없는 가을의 우수였던가! 불현듯 허전해지는 마음. 7월의 치자꽃 향기처럼 퍼지던 연인의 입김이 사라져버렸던 때와 같다. 정열이 빠져나가 버린 허무가 심장을 스친다. 길 잃고 방황하지는 않으나, 다시는 돌아오지 못할 머나먼 길을 떠나는 듯하다.

가벼운 듯, 무거운 듯. 가까운 듯, 먼 듯. 옅은 듯, 깊은 듯. 때로는 설명할 수 없는 공기가 있다. 황혼의 기품도 그러하고, 금방 눈이라도 내릴 듯한 회색빛 자욱한 하늘의 기품도 그러하고, 고요한 달빛 서린 아스라한 지평의 기품도 그러하다. 하지만, 그들은 혼의 정성을 담아 세밀한 붓으로 캔버스에 칠해질 수도 있고, 팽팽하게 긴장된 현으로 탄금될 수도 있다. 그러나 가을의 공기는 오히려 붓을 앗아가고, 현을 앗아가는 미지의 꿈. 어떤 혼의 정성으로도 흔적을 남길 수 없다.

돌아오는 것인가, 사라져가는 것인가? 대답은 명백하다. 돌아오는 그리움도 밀려가 버리고, 머물러 있는 기다림도 밀려가 버리는 망각의 넋! 아름다운 육체를 다시금 드러낼 수 없는 심해 속으로 아득히 가라앉는 사랑의 주검, 그것은 썩어가는 죽음이 아닌 사라져가는 죽음! 가을의 공기는 그렇게 투명한 눈을 뜨고 있다. ♣

하늘로 가는 산길

포장도로를 벗으나 샛길로 들어서자 갑자기 뚝 끊어져 버린 세상을 느낀다. 의식의 오묘한 변화일 테지만, 그 비밀을 묻고자 웅장한 이성의 문을 박차고 뛰어들 필요는 없다. 이 변화의 뜰에 있는 것. 일찍이 교감 되지 않은 가장 자연적인 대지를 느끼고, 그리고 경이의 도취에 겨워 대뜸 신세계를 만났다고 거뜬히 말할 뿐이다.

어쩌면 착오일 수도 있겠지만, 잘 닦인 길이라면 굽이굽이마다 혼란스러운 법, 어쩌다 만나는 자연의 기쁨도 신기루임이 금방 드러난다. 그러나 샛길은 산길이다. 서너 굽이를 돌고 가는 중에도 그 굽이 굽이마다 먼지 한 점 일어나지 않는 솔잎길로, 질경이 무성한 풀길로, 개울을 건너는 물길로 이어져 청백한 질서와 선량한 기쁨을 명확히 건네준다. 착오가 아닌 현실의 신세계임이 분명하다.

산길은 내내 한 뼘 정도만 있다. 한 뼘을 넘어서는 곧장 미지의 영역이며, 마디마디가 신세계의 거리이다. 때로는 만났던 것들도 있고, 때로는 어디선가 본 듯한 낯익은 풍경들을 느끼기도 하지만, 대부분 낯선 풍물의 거리는 그 경이로운 행렬을 좀처럼 멈추지 않는다.

길바닥은 온전한 곳이 없다. 끊임없는 변화의 기복을 갖는다. 그것은 고고한 울림이 되어 머나먼 이국에 다다른다. 잠시 서서 주의 깊게 보고 듣는다면, 아마도 그 이국의 수많은 사연이 재현되고, 또 들려올 것만 같다. 선조의 척박하면서도 순박한 삶의 애환들이나, 야생의 생명의 전설 같은 일 등이 말이다.

그들이 모여 이 길바닥 틈틈이 생명의 모태성과 성장의 역사성을 숨겨놓고 있겠지만, 그 내력은 고서적 사이에 은둔해 있는 오랜 역사의 향기 같이 너무나도 엄숙하여, 오직 겸허해 하는 자만이 그 심오한 연륜과 감동을 느낄 수 있을 듯싶다.

푸른 골짜기 위에 펼쳐진 하늘은 파란 숲처럼 보이고, 두어 점 둥둥 떠도는 조각구름은 무성한 잎들 사이에 핀 하얀 꽃무리처럼 여겨진다. 이리저리 치닫는 나비들의 왕성한 활력은 오전의 싱그러운 바람에 힘입은 듯하다.

골짜기는 또 다른 골짜기를 만나고, 산길은 또 다른 산길을 만난다. 개울물 역시 또 다른 개울물을 만나 아무런 긴장 없이 즐겁게 지절댄다. 이러한 모임은 생명의 개체를 더욱 풍성하게 하고, 삶의 영역을 더욱 넓게 하는 멋진 마술과도 같다. 자연의 운행과 전혀 관계없는 듯이 객기를 부리며 곧잘 서로를 저울질해 대는 인간의 만남과는 사뭇 다르다.

적절히 그늘진 길가의 널따란 바위는 좋은 쉼터이다. 이러한 지경이면 반드시 지친 나그네가 아닐지라도 예외 없이 바위의 경관에 매료되고, 심신의 어느 부분이든 올려놓고야 말 것이다. 어쩌면 더욱 엄숙한 편에 서서 자연의 영기에 삶의 시련을 닦아내는 염원을 지필 수도 있으리라! 실로 그러한 징표는 무한한 기원을 갖는다. 고인돌이나 불상이나, 또는 도를 구현하는 사람이나 시인묵객들의 이념에 의해 바위는 단순한 효율성에서 벗어나 초월적 의미로써 지표면의 성역이 되는 것이다. 비록 내가 앉은 의미는 편안한 휴식의 과정에 불과하지만, 그 어떤 유형이건 바위는 피상적인 무게만큼이나 중후한 의식의 소산물임은 틀림없다.

어떤 흔적은 없어도 이 오랜 바위 위에 또 누군가가 앉았다가 갔으리라는 생각은 필연적이다. 그도 나처럼 이 산길을 따라왔으리라. 그리고 온갖 모임을 보았을 테고, 이 바위에 앉아 건너편 절벽을 바라보았으리라! 그는 어떤 예지를 지닌 자였을까? 또한, 이 바위에 앉아 어떤 상쾌한 경지를 체험했을까? 알 턱이 없지만, 이 평화스러운 자연의 의미대로라면 아마도 그는 소담스러운 사슴의 눈빛을 지니고 떠났으리라는 생각이 문득 일어난다.

그가 다시금 걸어갔을 산길을 바라본다. 그의 기척이 뻐꾹새 소리마냥 들려온다. 모든 것을 걸러 낸 걸음걸이는 느긋이 불어 가는 순풍과도 같다. 그런 느낌이 든다.

그가 떠나간 산길은 여전히 한 뼘 정도이다. 그러면서도 저만치 끝이 있으리라는 것은 상상조차도 할 수가 없다. 물론 전문성을 다한 안내지도를 통하여 이 산길의 흐름이 조만간 끝나리라는 것을 알고 있다. 그러나 그 끝을 언제쯤 만나게 될지는 모른다. 거리의 불확실성보다도 내 마음의 불확실성이 그를 말해주는 까닭이다. 그도 그럴 것이 이 신세계의 골짜기로부터 나는 줄 곳 듣는 것이다.

"머물러 있으렴, 머물러 있으렴!"

오랜 애정이 담긴 산골짜기의 이 다정스런 말은, 잘 익은 때의 애정의 가슴 같은 포근한 안식을 끝없이 일구어 준다. 이런 행복감이라면, 이것은 인생의 최상의 보람이 아니겠는가!

그렇다면, 이대로가 좋다. 가능하다면 포장도로를 다시금 만나고 싶지 않다. 자연 속에서라면 언제 어디서나 늘 말하는 사실이지만, 지금 이 산길만이 나의 감동이다. 더할 나위 없이 평온한 이 기분은 아주 쉽사리 무소유의 경지를 체험케 한다.

무소유라고? 어떤 의미가 있지? 실익이 없는 삶을 어떻게 지탱할 것이며, 생애는 또한 얼마나 궁핍해질까? 무소유적 가치는 이제 어두운 밤의 고적 속에나 깃들어 있다. 서러운 꿈을 제 몸뚱이처럼 취하고서 어느 퇴색된 가슴속에 고집만으로 누워있을 뿐이다. 설령 도란

거리는 소리에 잠시 깨어날지라도 부스스한 얼굴은 차라리 바보의 표정일 테지. 하지만, 나는 바보의 표정이 즐겁다. 모름지기 어리벙벙한 지혜에 적의를 품는 자는 없는 법. 그렇다면, 아예 바보가 되어버리기로 하자. 우람한 구릿대를 산골짜기의 골목을 지키는 초병으로 굳게 믿고, 높다란 황금 마타리를 어느 영광스러운 우승자에게 주는 멋진 우승컵쯤으로 생각해 버리자. 아니면 지금 이 바위 위에 드러누워서 가버린 사랑을 다시금 불러내어 그 감미로웠던 나날들을 진종일 즐기는 것이다. 연이은 웃음이 연방 빙긋빙긋 흘러나올 테지. 그러다가 그립고 한스럽거든 실컷 통곡해 버리자. 나의 이 모든 생각과 행위가 그 어떻든 간에 지금 이 현실의 의미는 맹세코 풍성한 자유의 과정이다.

푸름만이 가득한 산골짜기의 산길에서는 짓밟히는 한 줌의 흙이 된 들, 단언컨대 애달플 일은 절대 없다. 또한, 길을 떠나든 떠나지 않던 그것도 그냥 내버려 둘 일이다. 바보가 된 다음에야 무슨 상관이 있으랴. 선택은 선택될 때 저절로 행해진다.

단추란 단추는 죄다 풀어 버리고, 양말 또한 벗어버린다. 정오에 다다라 꽤나 더워진 공기지만, 드러나는 살결을 쓰다듬는 밝은 햇살과 맑은 바람의 손길은 시원스런 개울 물빛에 아늑히 동조한다. 어느새 달콤한 잠이 뇌리에 스며들자, 보라! 산길은 어느새 하늘로 가고 있고, 저 앞에는 산토끼 엉덩이 같은 뭉게구름 마차가 달리고 있다. ♣

폭우의 전조

갑자기 암운이 감돈다. 나뭇잎이란 나뭇잎은 죄다 화폭으로 뛰어들어 절대로 움직이지 않겠다는 듯 숨조차 쉬지 않는다. 풀벌레 소리도 뚝 그쳤다. 조금 전까지 들었던 매미 소리는 지난여름의 추억인가 여겨진다. 온통 윙윙거리는 소리만 들릴 뿐, 그 무엇도 쌔근거리는 기색이 없다. 그렇다고 냉막한 공기에 얼어붙은 것도 아니다. 박물관의 고적한 유물처럼 무거운 침묵 속에 고정되었을 뿐이다.

가까운 길가의 오랜 정자나무 아래에 앉아 있는 이웃 노인의 엉덩이가 사뭇 불안하다. 동서남북을 보는 눈치가 유난히 짙은 담배연기 속에서 불안스레 나타난다. 참을 수 없는 듯 기우뚱 일어나더니 색깔이 바랜 군복 바지자락을 옹골차게 추켜올린다. 순간 몸이 들썩 들려지는 것 같다. 자신의 강력한 행동에 자신도 놀랐는지 유난히 큰 헛

기침까지 터트린다. 침까지 튀어나왔는지 검고 주름진 손이 입술 위로 한 차례 강하게 훑는다. 그리고 기우뚱기우뚱 걷는 그를 이끼 낀 오랜 돌담이 확 빨아 당긴다.

불빛을 살리지 않은 방안은 이미 오래전에 잊혀버린 존재들의 유물관 같다. 어느 것 하나 움직임이 없는 속에 오직 하얀 것들만이 어렴풋한 선잠 같은 삶을 알리고 있다. 그중에서도 진열장 위 하얀 주발만큼은 오히려 어스름한 빛으로부터 은총을 받은 듯 빛난다. 마치 고대의 유물 같다. 그러나 그것은 시장의 그릇 집에서 여전히 판매되고 있는 현대의 사기그릇에 불과하다. 그래도 제 몫을 하는 존재의 가치에 어긋남이 없다. 어떤 빛이건 찬사를 받을 만하다.

일일이 외우고 있지 않은 책이름들. 읽히지 않고 기억되지 않은 그 생명에 뒤덮인 검은 침묵의 망토가 오히려 위대한 평화의 맵시처럼 느껴진다. 망토가 걷히는 날이면, 그들은 살아도 힘들다. 복잡한 상념을 정리하느라 얼마나 분주했고, 얼마나 지쳤던가! 지금 이 어둠이 그들에겐 사뭇 위안이 되리라 믿는다.

조금 전 구멍 난 양말을 꿰매다 놓아둔 바늘도 보이지 않는다. 짙은 음영들이 나타나 비밀을 보장하면서부터다. 그렇게 은밀히 숨어 무슨 계획을 벌일 것도 아니잖은가! 오직 어둠과 존재의 비밀을 확인함에 불과하다.

유년기의 어둠의 방에 들어선 듯하다. 논 가운데 동산처럼 쌓인 짚

단을 헤집고 뚫어 만든 비밀의 방이 있었다. 그 비밀의 방은 쥐처럼 바스락거리며 기어들어 입구를 막았을 때 어둠이란 어둠은 죄다 모여진 묘한 흥분의 왕국이었다. 그러나 역시 어린 마음은 약했다. 시간이 지날수록 세상에서 영영 잊혀버릴 듯한 두려움에 기어코 입구를 다시 넓혀 환한 빛의 구원을 청해야만 했다. 그러면서도 끝끝내 어둠 속의 흥분을 즐거워했던 그 유년기의 방이 또다시 몸 전체를 휘감는다.

흥분이 일어난다. 심장은 활대처럼 팽팽히 긴장하고, 산맥의 어둠을 줄 곳 주시하는 눈동자엔 격렬한 흥분이 감돈다. 내 몸의 전율은 어떤 정전으로도 꺼지지 않을 심원한 본능으로부터 흘러나와 어둠으로 빛난다. 그런 속에 문득 한 묶음의 빛이 유성처럼 나타난다. 그리고 음양이 뒤섞인 혼돈처럼 더 넓게 번쩍이며 순식간 구름을 적셨다가 사라진다. 여전히 놓치지 않은 심장의 활대는 더욱 팽팽해진다. 빛은 몇 번을 그렇게 천둥소리 없는 폭동을 일으킨다. 천둥소리는 매우 분명한 생물의 징조이지만, 쉽사리 모습을 나타내지는 않는다. 주인공은 최후에 나타나는 긴장과 매혹의 의식인가보다. 번개는 보랏빛 산맥을 다시 한 번 슬쩍 보인 뒤, 더욱 깊은 어둠과 더욱 큰 침묵을 남긴다. 해저에 가라앉듯 점점 호흡이 압박된다.

깊은 정적……. 그러나 때가 왔다!

한순간 번개가 스치고 천둥이 때린다. 갑자기 호흡이 터지고, 맥박이 뛰며, 몸이 풀어진다. 그리고 세기를 알 수 없는 힘찬 마력의 날개가 솟는다. 의식의 눈속임에 감추어졌던 일들이 불현듯 손길을 청하고, 그 손길은 오직 메마른 것들이고, 메말라야 할 것들이다. 잘 훈련된 병사처럼 재빨리 마당에 뛰어 들어 방어력을 펼친다. 잘 마른 빨래가 아침 커튼처럼 촤르르 걷히고 여러 가지 약초가 안전한 참호 속에 유도된다. 그들의 온전한 숨소리가 사랑의 밀어처럼 속삭인다. 그 달콤함에 더욱 힘차게 날갯짓한다. 분주한 몸놀림이 성실한 삶을 죄다 끌어들인 듯하다. 잠시 충만한 마음이 위대한 권좌의 왕관처럼 빛난다. 그러나 왕관이라고 영원을 부르는 것은 아니다.

시샘이런가, 찬양이런가? 다시 한 번 뼛속까지 스칠 듯한 번개가 불꽃처럼 터진다. 주변과 먼 곳의 수많은 눈동자가 확 나타나며 나를 쏘아본다. 이처럼 많고 빠른 눈빛들이 나를 볼 수 있었던가? 아무도 보지 않는 곳에 영영 홀로 있다는 생각이 처참하게 부서진다. 그리고 꼭 지켜내야만 할 비밀이 들켜버린 듯 무서운 번뇌가 가슴을 뚫어버린다.

움찔한 몸은 휴식, 이속, 평온의 총아인 마루에 뛰어올라서도 실 풀린 연처럼 허둥댄다. 연이어 몰아치는 저돌적인 기세의 뇌전 앞에서는 인간이 지닌 어떤 영광도 내세울 수 없으리라! 하지만, 내게 어떤 영광이 있었던가? 모든 기세에 자연스럽게 순응할 뿐이지 않은가!

마음이 신속히 안정된다. 그로부터 자유와 흥분이 송골매 같이 내리꽂히고, 연이어 동물적 감각이 습한 바람을 느낀다. 감나무 잎이 소리 높여 떨고, 화단의 푸른 줄기들이 격렬한 무용수의 팔다리처럼 공연의 절정을 암시한다. 주변의 움직이는 모든 것들로부터 고조된 음향이 지상을 흔든다. 그리고 칠흑 같은 장막이 내려지고, 바다가 하늘에서 엎어진다.

폭우다! ♣

동해의 깊은 꿈

낚싯대를 마음껏 휘둘러 낚시추가 아주 멀리 가도록 힘껏 던졌다. 휭 하는 경쾌한 소리와 함께 낚싯줄이 한참을 휘르르 풀려나갔다. 낚시추가 떨어진 지점을 정확히 볼 수 없다. 넘실대는 파도가 장막을 쳐버렸기 때문이기도 하고, 파도의 물결이 눈부시게 반짝이기 때문이다.

더 넓은 대양을 향해 마음껏 펼친 자유로운 동작은 끝났다. 대신 현을 탱탱하게 당긴 긴장의 마음을 얻었다. 날씬하게 휜 낚싯대가 파도의 너울을 따라 천천히 움직였다. 그 상태는 특별한 기색을 얻지 못한 채 오랫동안 계속 되었다. 그동안 긴장의 현도 천천히 풀려버리더니 딱히 할 일마저도 없게 되어버렸다.

10월의 동해. 해안에 앉아 앞만 바라보자면 동해는 딱히 계절을 말할 수 있는 것이 없다. 초록의 새싹이라든지, 무성한 녹음이라든지, 붉고 노란 단풍잎, 찬란한 눈꽃 등을 죄다 버리고 있다. 그야말로 계절 속에서 나타나고 있는 무수한 소요들을 버리고 있는 셈인데, 그렇다고 무미건조한 형색이라고 투덜댈 수 있을까? 나로서는 도저히 그렇게 말 할 수 없다. 만약 그렇게 말할 수 있는 사람이 있다면, 그는 무엇인가 화려한 축제 속에서 굉장한 재밋거리를 찾고 있거나 이야깃거리를 찾고 있는 사람일 것이다.

나는 그가 동해를 심심하게 바라보는 것을 원치 않는다. 한 여름의 해수욕장이라도 권하여, 단 한 때만이라도 동해에 포용되어 즐거운 웃음을 터트렸으면 한다. 혹시 모르지 않은가! 신나게 해수욕을 즐기다가 고개를 들 때, 문득 눈앞에 펼쳐지는 광대한 대양을 발견하고는 그것이 또 하나의 신기원임을 느끼게 될 지도. 만약 그렇다면 그는 또 하나의 의미심장한 장소를 얻게 되어 더욱 불타는 삶을 이루게 될 지도 모른다. 부디 그렇게 되길 바란다.

뱃전에 서서 동해를 항해해 본 적이 없는 나로서는 늘 해안에서 육안으로만이 동해를 받아들인다. 그때마다 간간히 나타났다 사라지는 갈매기나 어선이 동해를 가로막는 벽으로 등장하지만, 그나마도 너무 작은 점들이어서 이내 동해에 녹아버리곤 하기 때문에 동해는 내게 언제나 거침없이 열려있다. 더군다나 동해는 섬이 거의 없다. 한 뼘 넘어 첩첩으로 섬이 가로막는 남해와는 영 딴판이다.

동해는 신기할 정도로 섬의 불모지다. 크고 작은 갑(岬)들로 이어진 해안선은 이상하게도 대륙의 씨앗을 동해로 보내지 않는다. 그렇기 때문에 동해바닷가에 서면 언제나 망망한 대양 앞에 서 있다는 느낌을 받을 수밖에 없다. 이때 천혜의 고도인 울릉도와 독도를 떠올려서는 안 된다. 그들은 너무 멀리 있어 동해의 해안에 귀속된 정서가 되지 못한다. 다만 우리 국토의 전체성 속에서 살고 있는 또 하나의 지고하고 아늑한 국토로 여겨야 한다.

계절도 없고, 섬도 없는 동해! 오직 세상을 향해 펼쳐진 대양! 대양이라면 머나먼 곳의 항해로부터 시작하여 남성적이고 모험적인 거친 삶의 전기가 이루어진다. 동해의 해안 길을 따라가는 동안 과거로부터 달려와 현대에 머물러 숨을 내쉬는 문화, 예술, 명상 따위들의 정서를 지녀본 적이 없다. 동해에 이르러 매번 느끼지는 바지만, 동해는 미래까지 계속 흘러가는 웅대하고 장엄한 서사적 요소들로 가득 채워져 있다.

물론 저 쪽 갑(岬) 사이의 조그만 만(灣)에 있는 새하얀 백사장 위에는 걷고, 뛰어놀고, 담소를 나누는 몇 몇 그룹의 사람들이 있는데, 그들 사이에는 매우 애정적이고 서정적인 분위기가 흘러서 동해는 그만 자기 모습을 깜박 잃게 되기도 한다. 하지만 내가 아는 바의 동해는 분명 가벼운 차림이 아니다.

70년대의 흔한 옷차림으로 바바리코트 차림이 있었다. 바바리코트의 특징은 바람에 잘 날리는 것이다. 단추를 채우지 않은 바바리코트는 더욱 그랬다. 앞에서 바람이 불어오면 옷 전체가 날개처럼 펄럭거렸다. 단추를 채우면 이번에는 아래 자락이 맵시 좋게 나풀거리곤 했다. 그래서 매우 가벼울 것 같다고? 천만에! 절대 그렇지 않다.

바람에 날리는 바바리코트의 모습은 누가 보아도 낭만이었고, 감성이었고, 철학이었다. 그러한 것들의 내밀한 정서는 대체로 어떤 알찬 무게를 지니고 있다. 그러니 바람에 잘 날린다고 가볍게 여기는 생각은, 나로서는 절대 할 수 없는 일이었다.

그런 바바리코트는 거침없고 끊임없이 바람이 불어오는 동해의 해변과 유난히 잘 어울렸다. 동해를 자주 찾은 내가 바바리코트의 청년이 된 것은 자연스러운 일일 수밖에 없었다. 바바리코트를 걸친 나는 마치 고향에 깃들 듯 아주 쉽게 동해에 깃들어 안주했다.

나는 그것이 나에 한해서 규정된 것이 아님을 믿는다. 지금까지 동해에서 길러진 많은 사람들의 습성은 거의 대체로 확 열린 공간에 오는 진취적인 성찰의 향응을 제공받는 것이다. 내일의 희망을 꿈꾸는 사람들, 어두운 그림자를 털고자 하는 사람들, 마음껏 자유를 누리고 싶은 사람들, 용기와 의지를 갖고 싶은 사람들. 그런 부류의 사람들을 위해 동해는 분명 절로 먹고 싶어지는 훌륭한 밥상을 차려놓고 있다.

언제나 확 터인 대양, 유쾌한 호흡을 제공하는 샛바람, 무궁한 의지를 갖게 하는 끊임없는 파도, 찬란한 목표를 갖게 하는 일출, 훨훨 자유롭게 나는 갈매기……, 이런 비상의 동해는 분명 모래 고운 백사장을 거닐거나 파도에 씻긴 멋진 바위에 앉아 많은 시간을 보낼 만한 그런 가치를 지니고 있다.

애당초 물고기의 번쩍이는 비늘을 보는 쾌감을 느끼기 위해 왔고, 그래서 어느 한순간에 낚싯대 끝이 푸르르 떨거나 휘청거리게 되기를 나는 바라고 있다. 하지만, 어느 새 밀려온 동해의 푸른 향응, 대양의 눈부심! 이것만으로도 마치 무슨 월척을 낚은 듯 그저 기분 좋게 머리를 들고는, 아스라한 갑(岬)쪽에서 어느 순간엔가 나타난 매우 흰 선박 한 척을 바라보고 있다. 시야 곁에 치우쳐 있어 언제 나타났는지 미처 보지 못한 선박이다.

그러나 만(灣)을 가로질러 다시 갑(岬)으로 사라질 선박은 느리기가 한이 없어 그 자리에 영원히 정지되어 있는 듯한 기분을 준다. 또 하나의 깨달음이라고 해야 하나? 문득 이런 생각이 든다. 동해는 모든 것이 멈춰진 깊은 꿈같기도 하다고! ♣

달, 꽃으로 피다

어떻게 보면 바람꽃 같기도 하고, 어떻게 보면 기생꽃 같기도 하다. 혹은 옥양목으로 잎들을 만들어 붙인 고운 연등이던가. 명경 같은 호수에 둥둥 떠서 하늘에 비췄던가. 그렇다면 하나의 염원일래라. 누군가의 간절한 삶으로 둥둥 떠서 천계에 알리고 있으리라. 또는 관음보살의 연꽃이던가. 내 어찌 속물이기에 저 관음보살의 꽃을 보여주는가. 아님을 안다. 관음보살과의 면식이 꿈속에서 조차도 없는 탓이다. 나는 아무런 후광을 얻을 수 없는 자, 영구히 속물의 원천으로 흘러가는 존재일 뿐이다. 역시 다른 양상의 꽃이다. 바람이 이는 지 파르르 떨기까지 한다. 이내 애잔하고 가여운 고독의 꽃으로 피어 쓸쓸한 기색을 품는다. 이것만이 아니다. 꽃잎이 튀밥처럼 터지기도 하고, 여러 꽃이 서로 엉켜 다정한 듯도 하다. 깊은 밤하늘에서 본 참으로 이상한 꽃이다.

따뜻한 방에서 상현달 뜬 마당으로 나선 바람에 벌어진 일이다. 급작스럽게 만난 한겨울의 차가운 공기, 이 공기가 낙엽처럼 시들은 시신경을 스치면서 생긴 일이다. 도대체 무슨 작동인지 몰라 수증기의 결로현상을 생각하게 되지만, 부지불식간에 눈물이 맺혀버렸다. 이 눈물 맺힌 눈에 띄는 꽃. 난생 처음 본 꽃이다. 또 누가 보았으랴. 장담컨대 저 꽃은 나만의 창조의 꽃이다. 여러 감정에 따라 다양한 이름을 붙일 수 있는 나만의 혼의 꽃이요, 꿈의 꽃이다. 시시각각 어떤 꽃으로 변하건, 그 어느 것 하나 나쁜 모습이 아니라 순수한 모습으로 느껴진다. 참 별스럽지만 아름다운 꽃이다.

오래 전 미지의 여로에서 만난 한 송이 꽃이 있다. 파란 솔체꽃이었다. 예정과 의식이 없이 홀연히 만난 꽃이었고, 난생 처음 보는 파란색의 꽃이었다. 그때 나는 문득 예술을 생각했다. 예술에 대한 향락이 없었던 젊은 시절. 예술이 무엇인지도 모른 채 그 단어만을 알고 있을 뿐이었는데, 어찌된 까닭이었는지 내면 깊숙한 곳에서 그런 감각이 일어났다. 그 후 나는 나의 세계 속에 야생화의 세계를 넣었고, 그 세계는 지금까지도 풀숲 어디에서나 예술로 나타나 내 삶의 여지를 다채롭게 꾸며준다. 저 달의 꽃으로부터도 그런 일이 일어나고 있다. 내가 창조한 예술 같은 꽃, 나는 저 하늘 달의 꽃을 놓칠 수 없고, 벗어날 수가 없다.

보통 같았으면 무의식적으로 눈시울을 닦아버리고 말았을 것이다.

그러나 예술의 꽃으로 여긴 순간, 나는 움직이지 못한 채 여기 몸으로 우두커니 서있고, 저기 영혼으로 날아가 꽃을 보고 있다. 촉촉한 눈시울에 의해 피어난 달의 꽃은 나의 푸른 삶의 편린, 이런 편린의 세계를 많이 만들어 놓을 수 있다면, 내 인생이란 남은 한 순간까지도 아름다운 꽃의 의미일 것이다. 물론 당신의 인생이라 할지라도.

내 몸 추울까 싶어 돌아올 때까지 신기하리만치 풍요로운 감각이 일어난다. 고요히 맺혀 있기도 하고, 파르르 떨기도 하는 나의 창작의 꽃에서 무한한 세계의 확장을 느끼고, 무한한 삶의 유희를 느낀다. 한없이 정체되어 갑갑했던 가슴이 터지고 가뭇없던 삶이 움튼다. 따지고 보면 이럴 수 있는 일이 아님을 안다. 저 달의 꽃은 노쇠한 눈의 슬픔의 결정체인 까닭이다. 이 밤뿐만 아니라 한 여름 바람에도 눈썹을 흠뻑 적시는 탈난 눈동자. 바람뿐만 아니고 가슴마저 닳고 닳아 여려 터진 세월이다. 소소한 감동이 일어도 윤슬이 되어 남사스럽기 십상이다. 이만하면 돌아오지 않을 세월에 대한 한숨만이 적격이요, 바랄 것 바라지 못한 채 어둠에 젖어가는 쓸쓸함만이 적격이다. 그러나 저 달의 꽃은 애달픈 삶을 지고 흘러가는 나를 휙 낚아채어 새로운 세계의 관객으로 풀썩 앉혔다.

관객이 된다는 것. 이 신분이 대단히 매력적이라는 것을 안다. 많은 전시회와 공연장에서 편안하게 앉아, 또는 여유롭게 서서 눈앞의 대상을 보는 것만으로도 굉장한 이야기가 흘러들어오는 것을 누누이 느껴보았기 때문이다. 어떤 작품을 관람한다는 것은 내 세계의 영역

확장과도 같은 것이다. 하나를 덜 보면 하나를 덜 알고, 하나를 더 보면 하나를 더 알게 마련이다. 안다는 것은 보다 많을 길을 가지는 일이요, 보다 넓은 지평을 가지는 일이다. 그 앎이 다채로울수록 삶의 묘리도 다채로워져 죽는 그 날까지도 이 세계 저 세계를 누리며 호기심의 뇌리를 반짝이는가 하면, 즐거운 이야기도 나눌 수 있으리라는 생각이다. 실제로도 겪고 있다고 생각한다.

고독한 자는 고독이 즐겨 자생할 세계만을 가졌다. 그들은 다른 세계의 신비로움과 경이로움에 무감각하다. 기껏 몸부림치며 하는 일이란 쾌락의 자해로써 자신을 잊고자 하는 일 뿐이다. 누구도 곁들여 보지 않는 인적 끊긴 독신이지만, 나에게는 그러한 요소가 전혀 없다. 분명 고독을 겪는 자들의 세계보다 더 많은 세계를 향유하기 때문일 것이다. 나는 고독하지가 않고 홀로 있는 것은 언제나 축제이다. 만약 좀 더 나이가 젊고 재산마저 풍족하다면 온통 황홀한 불꽃이 터질 축제일 것이다. 삶의 여력을 보자면 그에 대한 욕심은 부릴 수도 없고, 부리기도 싫다. 다만 지금 같은 순간이 계속 있었으면 좋겠다. 지금껏 알지 못했고 누리지 못했던 무언가의 세계가 수액방울처럼 알알이 떨어져 나의 감각을 계속해서 낯선 경이로움에 놓아두기를 바라는 것이다.

누구든 권태, 우울, 체념 같은 실의에 빠져 삶이 시들어 가는 경과는 탐탁지 않으리라. 살아있는 매순간이 푸른 새싹인 양 즐겁게 열매를 기다리는 일로 채워지길 바랄 것이다. 낯설어 경이롭고 신비로운 세계가 나타나 그를 탐미하는 정신적 향응, 지금 저기 시시각각 다채로운 꽃의 화첩을 전개하는 눈시울에 핀 달이 그 길을 열어주지 않은가. 나는 이렇게 즐거운 인생을 위해 있어야 할 탐미의 세계를 이 한겨울 깊은 밤에 불쑥 하나 얻었다. 이제는 한겨울 밤마다 꽃피는 봄일 것 같다. ♣

장마철의 자유

집 근교에는 덕유산에서 형성되어 내려온 월성계곡이 있다. 골이 넓고 긴 까닭에 늘 풍부한 물이 흐르고 있는데, 풍경이 매우 수려한 지라 7, 8월의 피서 철을 전후로 하여 피서객의 내왕이 왕성하다.

그 계곡에서 갑자기 강한 사이렌 소리가 연거푸 서너 번 울린다. 어떤 이에겐 놀라 자지러질 소리지만, 나에겐 친숙한 소리다. 이 갑작스런 사이렌 소리는 달리 이변이 있어 울리는 소리가 아니라 장마철이면 으레 울리는 소리다. 피서를 즐기는 물가의 사람들에게 안전을 당부하는 소리고, 농부들에게 농작물 관리 잘 하라는 소리고, 나에게는 비설거지를 빨리 하라는 소리다.

사이렌 소리가 울리고 나면 거의 대부분 흔들어 우수수 떨어지는 밤톨 같은 장대비가 쏟아진다. 오늘 하루도 벌써 두 번째다. 장마철이기에 있는 일이다.

먹구름이 몰려왔고, 어김없이 장대비가 등장한다. 이미 비설거지를 해놓았지만 행여나 싶어 마당을 둘러본다. 잦은 비로 계속 젖어 있던 마당은 금방 물결이 찰랑인다. 굵은 빗방울들이 만들어낸 수없는 동그라미들이 서로 마구 부딪치자 마당 전체가 곰보 얼굴 모양이다. 툇마루에 서서 가만히 보노라니 틀림없이 그런 모습이다. 애처롭게 떨어진 감나무 잎은 우왕좌왕 갈피를 잡지 못하고 마구 흔들린다. 조만간 난파선이 될 징조가 절로 보인다. 아니, 눈앞에 보이는 지상 전체가 난파선이 될 징조가 보인다.

마을 앞길을 제대로 바라보는 내 집은 시시각각 오고가는 마을 사람들의 행동을 보는 재미가 있다. 지금도 당장에 허리가 거의 90도로 꺾인 구부정한 이웃 노인이 종종걸음을 하며 가고 있다. 검은 우산을 썼지만 여의치 않은 모양이다. 상체가 구부러졌으니 우산을 잡은 팔의 중심이 제대로 되지 않아 우산이 마구 흔들린다. 내가 다 속이 탈 지경이다.

노인은 얼마 가지 않아 힘이 드는지 억지로 허리를 펴는 듯싶지만, 내가 보아온 바 20여년 넘게 고착된 허리를 편다고 펴질 리가 없다. 엉덩이 쪽을 엉거주춤 아래로 내리니 형국일 뿐이다. 어쨌든 우산만큼은 제대로 섰다. 순간 안도의 한숨이 확 터진다. 마치 내가 큰일을 치루고 숨을 돌리는 기분이다. 휴식 중에도 노인의 한 팔이 쉬지를 않는다. 등 쪽 허리춤을 탈탈 털어내고 있다. 그 쪽이 이미 흠뻑 젖은 모양이다. 그러나 그 쪽을 한번 힐끗 뒤돌아보더니 포기를 한 모양이다. 노인은 털기를 멈추고 하늘을 슬쩍 쳐다본다. 하늘은 더 많은 양을 퍼 부을 폭우를 분명히 품고 있다. 노인은 다시 본래의 모습으로 돌아가더니 종종걸음을 재촉한다. 걸음이 훨씬 빨라진다. 우산이 아예 덜렁덜렁 거린다. 내 가슴이 또 울렁거린다. 제발 집에 빨리 도착하시기를…….

빗줄기는 결국 폭우로 변한다. 물방울들이 마구 튀어 오른다. 마당은 아예 물 끓듯 보글거린다. 이러한 경우 알 수 없는 쾌감이 일어난다. 그 어떤 것의 모습에서건 열정을 끓어오르는 모습을 보고 흥분되지 않을 사람이 있던가!

장마철 폭우의 열정! 한 편의 영화, 또는 한 편의 공연물에서 열정을 느끼지 못한다는 것은 상상조차 할 수 없다. 장마철 폭우는 한 해 한 편의 천혜의 영화요, 공연이다. 그러니 전체에서건 일부에서건 반드시 열정은 있게 마련이고, 그 열정은 생기 있는 의욕을 대변한다.

혹자는 지금쯤 우울증에 시달리고 있을 수도 있다. '날씨 흐림, 그리고 비'라는 기상 상황은 신체적으로나 정신적으로 그다지 좋은 상황이 되지 못한다. 빗물의 혜택과 직접적인 연관성이 별로 없는 도시라면 더욱 그렇다. 시골이야 빗물의 혜택과 연관된 농작물이 있으니 도시의 생각과 다소 차이가 날 수밖에 없다. 하지만, 시골 역시 우울함으로부터 벗어날 상황이 그다지 되지 못한다. 흐리고 비 내리는 저기압의 대기가 뼈마디 구석구석을 찔러대니 말이다. 노화현상이 두드러지고 있는 오늘날의 시골은 더욱 그럴 것이다.

하지만, 해결책이 없는 것도 아니다. 도시라면 '비 내리는 덕수궁의 돌담길'이라든지, 또는 '비 내리는 창가에 앉아 한 잔의 커피를 즐기노라.'는 식의 낭만의 동기를 부여잡으면 좋지 않을까? 시골이라면 '파전과 화투놀이'의 유혹에 취해볼 수도 있지 않을까? 아마도 저쪽 마을회관엔 이미 그 즐거움에 취해있을지 모르겠다.

삶을 기쁘게 하려면 이 말을 기억 할 것!

'무엇이건 생각하기 나름!'

나는 이렇게 즐겁지 않은가!

낙숫물 소리……. 유난히 크게 울리니 절로 관심이 주어진다. 낙숫물은 처마에서 고루 떨어져 내리며 일정한 소리를 내고 있지만, 유독 한 곳만큼은 그 소리가 드세다. 그도 그럴 것이 그쪽 처마 부분은 특히 낙숫물이 많이 떨어지는 곳이라 일부러 항아리를 놓아두었기 때문이다. 항아리의 물은 화초의 물로 가장 자연스러운 상태를 만족시킨다.

빗줄기가 거세지니 항아리엔 어느 새 물이 가득 고였다. 그리고 유난히 큰 소리로 철썩거린다. 그냥 철썩거리기만 하는 것이 아니라 어릴 적 고향의 소리들까지 가져와 철썩거린다. 아름다운 선생님의 향기가 피어나던 풍금소리……, 겨울의 꿈을 노래하던 문풍지소리……, 책 보따리 속의 몽당연필 구르던 필통소리……! 아, 뭐였더라? 그냥 넋 잃고 바라보며 듣던 낙숫물소리……! '낙숫물 소리'의 어휘에 눈물 같은 감성이 휘몰린다.

폭우로부터의 쏟아진 흥분 때문에 가슴 설레고 즐겁기는 한데 딱히 할 일이 없다. 하긴 마냥 넋 잃고 쉴 때도 있어야지. 이런 생각을 해놓고 문득 웃음이 실실 터진다.

나는 이따금 내가 참 게으른 사람이라고 생각한다. 일을 하지 않고 유유자적 떠돌고 싶은 생각을 매우 자주 갖기 때문이다. 부모님 품에서는 더욱 그랬다. 좋은 생각일 수가 없다. 야단치지 않을 부모가 어디 있을까! 그 야단을 피하기 위해 내가 꼭 필요로 했던 것이 있다. 변명거리이다. 상황에 따라 이런 저런 변명거리를 두게 되었지만, 그 중에서도 가장 확실한 변명거리는 비였다. 비는 엄마의 눈에도 빤히 보였기 때문이다.

"아이, 엄마! 비오는 데……"

"비 그치면 갔다 와!"

애교를 부릴 필요도 없었다. 비는 엄마의 야단을 피해갈 수 있는 최고의 '자유통행권'이었다.

그래서일까? 나는 언제부터인지 장마철을 매우 좋아하게 되었다. 물론 거기에는 나의 내밀한 성향이 더욱 크게 작용한다. 고백이라고나 해야 할까? 나는 은둔하기를 좋아한다. 고적을 좋아하고, 사색을 좋아한다. 새싹이 돋고 낙엽이 져도 내 거처는 언제나 인적이 뚝 끊겨있다. 내 집의 파란 대문이 녹슬어 있는 이유가 달리 있는 것이 아니다. 파란 대문은 늘 꽝 하고 발로 걷어차야만 열린다. 내 거처는 그렇게 온전한 무인도가 되어있다.

내 성향은 분명 왜곡되어있고, 변형되어 있다. 무인도 같은 집에 있으면서도 밝고 맑은 대낮은 왠지 불안하다. 사람의 활동량이 풍부해 지는 까닭에 그만큼 대문이 열릴 확률이 높기 때문이다. 방안에 앉았노라면 어김없이 토끼 귀가 되고 마는 날도 바로 쾌청한 날이다. 심장병이 없는 것이 이상할 정도이다.

사람들이 이해하지 못할 성향을 지닌 것을 자랑해서는 안 된다. 오히려 미안함을 지녀야 한다. 나는 틀림없이 내가 아는 모든 사람에게 미안함을 지닌다. 죄인이 된 심정이야 말할 것도 없다. 그러니 내게 있어 쾌청한 날은 일종의 감옥이라 해야겠다. 참 딱한 내 인생이다.

다행히 그런 감옥의 철장이 열리는 날이 있다. 바로 타인을 막아주고 나를 자유롭게 해주는 비가 잦은 장마철이다. 그리고 삶을 유지하기 위하여 부지런히 움직여야 함에도 불구하고 여전히 변명을 하고 있다.

"아이, 엄마! 비오는 데......"

물론 엄마는 지금 하늘나라에 계신다. ♣

기적소리가 있는 풍경

금빛 들녘을 바라보고 있는 동안 가을이 넋처럼 다가오고 있다. 농부는 추수의 축제를 기다리며 설렘을 지닐 테지만, 오늘도 누구 한 사람 오지 않은 뜰에 선 나에겐 더욱 허전한 꿈만이 깊어 갈 것이다. 그러나 괜찮다. 내 인생의 역사는 이미 오랜 전부터 아무도 없는 길을 걸어왔고, 누군가 있는 길이라면 오히려 빙 둘러 왔으니 말이다. 그리고 나는 그것을 행복처럼 여기며 살아왔다.

들녘은 너무 고요하여 마치 영원히 박제 되어버린 사진 속의 풍경 같다. 나도 그 속에 있는 양 움직일 수가 없다. 숨결이 규칙적으로 흩어져 날아가는 것이 오히려 이상할 정도이다. 그러나 숲 아래 길 건너편의 반짝이는 물결로 인하여 내 혼이 살아있음을 직감할 수 있다.

그래도 여전히 움직일 수 없는 것은 들판 때문이다. 벼 익은 들판은 무척 넓은데다가 온통 찬란한 빛이어서 마치 불빛에 놀라 움직이지 못하는 노루처럼 굳은 듯 서 있는 것이다. 그러나 때는 온다. 권태가 밀려오고 무엇인가를 해야겠다는 생각이 슬쩍 든다. 하지만, 현재 내 생활이란 가만히 있는 것과 문득 떠나는 것이 거의 전부이다. 그러니 가만히 서있는 상황에서 무엇인가를 해야겠다는 생각은 결국 또 다시 떠나고 싶다는 생각일 수밖에 없다. 사실 가을이 오기 무섭게 이미 몇 번을 떠나갔다가 왔다. 가을이 스민 낮 동안은 거의 매일을 습관처럼 어디론가 떠나고 싶어 한다. 지금 떠나고 싶은 생각도 그런 마음의 연장선이나 다름없다.

내 마음을 알기라도 하는 듯 멀리서 기적소리가 들려온다. 만약 이대로 떠나고자 한다면 이내 저 기차를 탈 수 있을 것이다.

내가 서있는 참나무 숲의 작은 동산을 내려가 마을길을 조금만 따라가면, 마을을 드나드는 길가에 아주 작고 작은 노천의 간이역이 있다. 간이역은 대합실도 없다. 일렬로 선 네 개의 기둥에 지붕만 있어 비 가림과 햇빛 가림을 하는 우산 역할을 하고 뿐이다. 그러나 기차는 그 초라함을 무시하지 않는다. 내리고 타는 사람이 있건 없건 경건한 태도로 어김없이 육중한 몸을 세우게 된다.

이곳 마을에 오던 첫날, 낯선 풍경의 신비에 젖고 아늑한 둥지의 기쁨을 느꼈던 간이역이다. 마치 천생연분이라도 만난 듯 당장에 반해버렸다. 간이역을 발을 내린 나그네라면 누구나 나와 같은 마음이 될 것임이 틀림없다. 그리고 향수(鄕愁)와도 같고 애수와도 같은 아련한 심정에 사로잡히고 말 것이다.

나는 이미 누누이 간이역에 서보았기 때문에 처음에 겪었던 감흥이 다소 감퇴되고 말았지만, 그래도 간이역에 설 때마다 어김없이 머나먼 곳을 헤매는 듯한 여로의 서정을 갖는다. 반대로 낯선 여행자가 간이역에 도착하는 것을 볼 때면, 마치 내가 간이역의 주인인 양 왠지 자랑스럽기까지 할 정도이다.

발길은 아직 움직여지지 않았다. 여전히 그대로 서있다. 기적소리는 멈췄지만 그 여운마저도 사라진 것은 아니다. 아직도 청아하고 포근한 소리가 귓전에 맴돈다. 그리고 그 소리에 문득 오늘 날씨가 정말로 좋다는 생각을 한다. 눈에 비친 날씨만으로도 좋은 것은 분명해 보이지만, 그러나 눈으로 볼 수 없는 내밀한 기상상태도 있고 보면 눈에 보이는 것만이 전부가 아닐 수도 있다. 기적소리는 그런 내밀한 기상상태를 보다 명확히 알려준다.

방금 울렸던 낮고 짧은 저 기적소리는 파란 가을 하늘의 맑은 꿈에 취한 기적소리이다. 대기는 기분 좋은 고기압으로 채워져 있으며, 바람은 북서풍이되 코스모스도 깨울 수 없는 아주 여린 미풍이 부는 날씨라고 알려주는 것이다. 그러니 오늘 날씨는 정말로 좋은 날씨인 것이다.

저 기적소리가 높고 길게 우는 날이면 마당에 널어 두었던 하얀 런닝을 걷어두거나 자리를 옮겨 처마 밑에 걸어놓고 외출해야 한다. 만약 외출할 일이 있다면 말이다. 대기는 어깨를 축 늘어뜨린 아버지의 시름처럼 어둡고 슬픈 저기압으로 채워져 있으며, 바람은 남동풍이되 흐느낌처럼 불어오는 촉촉한 바람이라고 알려 주는 것이다. 그런 점을 알고 있는 나는 라디오조차 없는 외딴 고가에 앉아 기적소리에 따라 우산을 무시하기도 하고, 바라보기도 한다.

기적소리는 낯익은 이정표가 되기도 한다. 아주 오래토록 들어왔던 모정의 자장가처럼 낯익게 들어왔던 기적소리……. 눈을 감고 넋을 잃고 있어도, 참나무 숲 속에 안개가 자욱해도, 비 내리는 어두운 밤이어도 기적소리 하나만으로도 기차가 어디서 오고 어디로 가는지, 또는 어디쯤에 있는지를 안다.

막 들려온 저 기적소리는 들녘 저편의 아담한 소도시에 들어서는 기적소리이다. 저 기적소리는 사람이 내리는 동안 잠시 숨을 고르다가 또 다시 한번 기적소리를 울릴 것이다. 소도시를 떠나는 소리이다. 그리고 조금 후 소도시의 변두리에서 불쑥 나타나 들판을 가로질러 이 편 산기슭을 향해 달려오게 된다. 그러다가 작은 철교 하나를 건너면서부터 이쪽 산기슭을 피해 커다란 잉어가 비스듬히 몸을 누이듯 하며 급격히 방향을 바꿔 아래쪽으로 사라지게 된다.

그 직후 기차는 또 다시 기적소리를 울리게 된다. 이번에는 바로 이 마을의 정류장인 아늑한 간이역에 서겠다는 소리가 된다. 그리고 조금 후 또 한 번의 기적소리를 울리게 된다. 이제는 마지막이다. 기차는 산기슭 너머로 영영 사라져 간다. 마지막 기착지를 향하여.

알고 보면 기적소리는 단순함 속에서도 수많은 사물의 이야기를 들려준다. 겉으로 보면 책이지만 펼쳐보면 수많은 이야기가 들어있는 한권의 수필집과도 같다. 그래서 이런 청을 할 수도 있다. 철길 옆에 사는 사람이라면 이 한권의 수필집을 꼭 지닐 것! 시시각각 오고가며 울려대는 기적소리를 짜증스럽게 듣기 보다는 나그네가 오가며 들려주는 수많은 이야기로 읽는 것이 훨씬 나을 것이기 때문이다.

매일 두어 차례 같은 시간에 어김없이 듣게 되는 기적소리. 그 기적소리가 울릴 때마다 나는 아련한 상념의 책장을 넘긴다. 그리고 새롭고 신선한 제목을 따라 다시금 먼 길을 떠난다. ♣

해 저문 강가에서

해 저문 강가에서 조약돌을 던진다.
불타는 금빛 물결,
웃고 떠들다가 금방 사라진다.

또 몇 번을 던졌던가!
조약돌 떠드는 소리는 계속해서 기슭을 맴돈다.
옛날 옛날의 어린 숨결을 불러와 쌕쌕거리며
그렇게 나는 홀로 웃고 장난친다.

다정한 천둥오리들 날아가며
무슨 일인지 궁금해 할 것이다.
그런 생각이 들자
문득 부끄러워 두 팔을 멈춘다.

강물은 다시금 고요히 흐르고,
손아귀에 쥐었던 조약돌은
한참 후에야 마지막 웃음을 터트린다.
그리고 어느 새 다가온 산 그림자 이불을 덮고
깊은 꿈속에 잠긴다.

빗속의 북소리

스산한 바람이 이는 가 싶더니 빗방울 떨어지는 기색이 있다. 저녁 무렵에 보았던 흐린 하늘이 기어코 제 할 일을 하는 모양이다. 얼마나 내릴지는 모르겠으나 빗소리는 점점 굵어져 완연한 서정을 이룬다. 나는 이런 밤을 사랑한다. 일상의 단조로운 밤이 오붓한 생기를 갖는 것이 좋고, 그 생기를 징검다리 삼아 꿈의 개울을 건너는 것이 좋다.

꿈이라기에 아련할 듯싶지만, 결코 그렇지가 않다. 만물이 송두리째 나타나도 모두가 선명하여 하나하나의 본질에 대해 세밀한 감정을 그려낼 수 있을 정도다. 정말이다. 어둠이 짙은 이 깊은 밤에 담장 곁의 구기자나무 열매가 주홍색에서 붉은 빛으로 반짝이는 모습이 완연하게 나타나기도 하고, 마을을 지나 들판 너머에 있는 개울 속의 모래알마저도 반짝이기도 한다. 대낮보다도 더욱 선명하게!

모든 음색도 마찬가지이다. 수백 개의 현의 울림 속에서도 하나하나의 음색이 가려내는 지휘자의 귀를 빌린 듯 메마른 감나무 잎의 울림, 채소밭 비닐의 울림, 담장 곁의 가마솥 뚜껑의 울림 등이 제 특성에 비추어 선명하다. 거기에 나타난 또 하나의 울림이 있다. 처마 쪽 어디엔가 미처 치워두지 않았던 무엇이 있었던 모양이다. 잔잔하면서도 선명한 "퉁, 퉁!"하는 공명의 울림이 상쾌하게 들려오고 있다. 기분이 좋아 가만히 듣고 있노라니, 그 소리는 어느 새 신체의 어느 기관에 깃들어 진동을 일으킨다. 심장인 것 같기도 하고, 목젖인 것 같기도 하고, 뇌 속인 것 같기도 하다가도 몸 전체가 '투두둥!'거리는 느낌이 들기도 한다. 그리고 점점 분명해지고 있다. 생체리듬이 본능적으로 맥박 치는 그런 울림! 북소리다!

내게 있어 북소리는 각별하다. 한 번의 경험 때문이다. 어느 사찰의 법고로부터였다. 정중한 스님의 절도 있는 팔의 태도와 혼의 발현에서 나타난 북소리는 수만 수천 개의 빗방울과 온갖 바람이 되어 폭풍처럼 온 몸을 스치고 지나갔다. 그 직후 비 개인 하늘처럼 청명하게 씻긴 내 마음의 바탕을 느꼈다. 그 후로부터 북 자체는 낯선 세계의 기물이지만, 북소리만큼은 언제나 내 곁에 있었던 듯 친밀함을 갖게 되었다. 그러나 지나오면서 점점 그 친밀함이 오직 나만의 것이 아닌, 인간 모두의 운명의 것으로 여겨졌다.

인류 역사상 가장 최초로 기록된 악기가 북이라고 한다. 전문적 접근 할 수는 없으나 일리가 있다는 생각이 든다. 산책길을 나설 때면 으레 손에 들리는 것이 지팡이다. 지팡이를 쥐는 순간부터 지상의 모든 물체는 북이 된다. 대지도 북이요, 바위도 북이요, 나무도 북이다. 그리고 나도 모르게 그들을 툭툭 친다. 나무 막대기를 잡을 수 있는 손을 사용하게 된 최초의 인류 역시 똑 같은 경로를 접했을 것이다. 사냥한 공룡의 사체로 툭툭 찔러도 보고, 거대한 야자수 잎도 툭툭 두들겨 보는 장면이 선명하다. 그러니 모든 악기 중에 북이 가장 먼저 생긴 것은 매우 당연한 일일 것이다.

인류가 맨 처음으로 택했던 북. 그것은 발견과 선택의 매체가 아닌, 두드림과 울림의 파동이 있는 인간 내면의 생리적 요구였던 것이 틀림없다. 두드림과 울림으로써 자기 생명의 힘을 확인하는 행위는 모든 생명의 기초 행위이자, 삶의 원천이다. 실제로 북소리와 인간은 서로의 혼을 갈구하는 필요조건 속에 놓여있으며, 그로써 이룰 바를 이루는 충족조건 속에 놓여 있기도 하다. 결국 내 속에서 매번 심금을 울리는 북소리는 사찰의 법고소리에만 맺혀 있었던 것이 아니라, 애당초 숙명적으로 내 속에 맺혀 있었던 것이다.

그래선지 북소리를 들을 때 빈번히 느끼는 것은, 방청객으로써 듣는 다른 악기나 다른 울림과는 달리 내가 북 치는 사람이 되고 내 속에서 북소리가 울린 다는 점이다. 물론 북도 여러 형태가 있어서 그에 따라 매양 다른 느낌을 받을 수밖에 없다. 그러나 중요한 것은 북의 종류나 소리의 형태가 아니다. 그 울림이다. 북의 울림에 동조를 하노라면, 매구북의 작은 울림마저도 나의 울림이요, 자연의 울림이요, 세상의 울림임을 인정할 수가 있다. 그리고 거기서 생명이 약동하는 인생의 일체를 느낄 수가 있다.

빗줄기가 조금 더 거세진 듯하다. 소리 역시 보다 강렬해져 '투두둥, 투두둥!'하며 제대로 된 북소리를 울린다. 얼핏 생각해보니 저 북은 버리기 위해 던져 둔 텅 빈 한말짜리의 식수통임이 분명하다. 그러나 전혀 상관없다. 나는 오직 북소리만을 반겨 듣고 있을 뿐이다. 일상에서 북의 실체로부터 일어나는 울림을 자주 접하기란 힘들다. 우연한 기회에 어쩌다 한번쯤 듣는 식이어서 이미 오래전의 일처럼 여겨진다. 그러나 무슨 특별한 예식은 아니요, 취향도 아니다. '북 치는 사람'의 의식은 이미 내 속에 있는 것이며, 지금처럼 일상의 매체를 통하여 언제라도 일어나 마음의 지축을 흔든다.

두드림과 울림이 있는 한, 흔들림도 있게 마련이다. 북소리는 움직임이다. 어떤 종류의 북이건 그 소리로써 혼과 생체의 활력을 불러일으킨다. 선명하게 살아있는 생명의 소리! 이 소리를 가을비에 엮어 밤새도록 사랑의 편지를 쓰고 싶다. ♣

유성을 본 밤

맑은 대기를 통하여 별들이 참으로 잘 보인다. 한꺼번에 모두 쏟아져 나와 있는 양 수없이 반짝이며, 수 없는 눈동자를 끌어들인다. 그리하여 어디선가 무수한 사람이 제각기 별을 찬양하고, 별을 이야기할 것으로 생각된다.

혼자 밤길을 걸으며 별을 이야기하는 나는 기껏해야 북두칠성이나 북극성, 오리온자리가 아니면 샛별이나 은하수 정도를 알고 있을 뿐이다. 그도 그럴 것이 나는 천문학자의 눈을 가지지 못하였으며, 별을 관찰하는 취미활동도 갖고 있지를 못하다. 별은 내게 관찰의 대상이 아니다. 밤하늘을 우러러 별을 볼 때, 가깝고 먼 곳에서 마술처럼 반짝이는 것이 오로지 신비하고 아름다울 뿐이다.

별의 세계는 모든 사람들의 눈에 들지만, 똑 같은 이해를 갖는 것은 아니다. 점성가의 눈에서는 운명이 예언되기도 하고, 과학자들의 눈에서는 타원형의 선들이 그어지기도 한다. 하지만, 대부분 일반인들의 눈에서는 역시 예나 제나 추억, 그리움, 기다림 등의 감성을 자아내거나 전설, 신성, 희망 등의 꿈으로 반짝인다. 그리하여 별은 아이들의 장난감이자 희망의 꿈이기도 하며, 소녀의 애틋한 기도이자 영원한 사랑의 염원이기도 하다. 어른들에게는 삶의 회한을 눈물짓게 하는가 하면 삶의 부끄러움을 씻는 보상이 되기도 한다.

밤하늘의 별빛 풍경 아래에서는 공중을 둥실 떠다니지 않는 자 없다. 가까운 별 위에 앉아 먼 곳의 그리운 사람을 지켜보기도 하고, 이름 모를 별 하나에 사랑스런 이름의 명패를 붙여 보기도 하며, 보다 먼 곳의 별을 향해 여행을 떠나보기도 한다. 용감한 자는 사랑하는 누군가를 위해 쏜살같이 떨어지는 유성을 매미채로 낚아채 오려는 용맹한 꿈을 꾸어보기도 할 것이다.

우리는 천공의 별들 속에서 그 무엇 하나 신비롭게 꾸며내어 오지 않을 수 없다. 온갖 전설의 별자리가 있는 것이 어찌 단순한 일이던가. 별들은 그렇게 우리의 삶이 확장되는 예술의 초상이다. 불투명한 의식들 속에서 자라난 들 그 보람이 훼손되리라고 여겨지지는 않는다.

별은 인생의 어느 부분에서 틀림없이 시공간을 초월한 꿈이 되어준다. 특히, 나는 별로써 갖는 특별한 꿈이 있다. 아니, 희망의 길이 있다. 그 길은 어린왕자처럼 별에 올라가 앉을 때 펼쳐지는 길이다. 높이 뜬 별에서 내려다보는 지상은 너무나도 작고 작을 수밖에 없다. 당연히 지상의 모든 일 조차도 미세한 일이 되고 만다. 생명을 앗아 가리만치 우울과 근심에 젖은 당장의 모든 고난도 마찬가지다. 별에 앉아서는 너무나도 작은 고통이 되어버린다. 그로써 나의 길은 인간사 세상사 모두 별일 아니라는 듯 표표한 삶의 귀로를 갖고 만다. 현실 타개에 있어 나의 이 방법은 정말로 큰 위안이 되고 희망이 된다.

그 별이 하나 떨어진다. 옳게 말한다면 스친다는 표현이 맞을 것이다. 근거도 없이 갑자기 서쪽에서 나타나 남쪽으로 휙 사라지는 별은 바로 유성이다. 처음엔 별이 떨어지며 불타는 것인 줄 알았다. 한참을 지나서야 우주를 떠도는 혜성에서 나온 조각이 지구의 대기권에 들어오면서 공기나 먼지들의 마찰로 말미암아 빛을 내는 것일 뿐이라는 것을 알았다. 그런들 별의 생사의 의미를 깨치고 돌조각의 출현이라는 주제를 다시 낚았을까? 어떤 변화도 갖지 않았다. 여전히 별이 떨어지는 것으로 하여 유성의 꿈을 펼쳤다.

당신도 그렇지 않았을까? 유성을 보면서 학구적 위치에 서는 사람은 극소수일 것이다. 대부분의 사람들은 그런 위치에 있지 않고, 또 그런 위치에 서 있고 싶지도 않을 것이다. 우리들 대다수에게 있어 유성의 매혹적인 풍경은 지식을 위한 배경이 아니다. 유성을 말할 때 오로지 별이 만드는 신비한 생명감의 환희로 받아들일 뿐이다.

별이 아니었다면 누가 천국의 이상향을 피워 올렸겠는가, 유성이 아니었다면 또 누가 거대한 생명의 움직임에 경건해지는 자아를 발견하겠는가. 별이 없는 칠흑 같은 하늘에선 지구는 미아이며, 유성 없는 고요한 하늘에선 지구는 고아이다. 인간도 따라 그렇게 외로워질 것이다. 나는 별로부터 무한의 세상을 확인하고, 유성으로부터 그 존재의 생명감을 확인한다. 다만 둘을 받아들이는 태도는 각각 다르다. 항상 있는 별들은 가족처럼 정답게 대하고, 간혹 발견하는 유성은 귀한 손님처럼 황홀하게 대한다. 그 중에서도 이루 말할 수 없는 귀한 손님이 있다. 유성우이다.

여름 한 때에 나는 특별한 자세를 갖는다. 「페르세우스」라는 이름을 가진 유성우를 맞이하기 위해 한 밤에 홀로 천공이 활짝 열린 산마루나 들판으로 나가는 일이다. 이유는 분명하다. 하늘이 펼치는 신비한 아름다움의 소요에 잠기고 싶은 것이다. 정말 그렇게 된다. 실제로 확인되는 「페르세우스」유성우는 평상시 갖는 미의 인식을 크게 넘어서서 확인되지 않은 거대한 신화의 세계를 동분서주하며 펼쳐준다. 나는 저쪽을 바라보며 거침없이 질주하는 경쾌한 야생의 백마를 생각하고, 이쪽을 바라보며 천벌을 받아야 할 사람에게 던진 제우스의 창에 박수를 치게 된다. 하늘이 살아있다. 살아있다. 그 생동감에 나는 새로운 삶의 태동을 느낀다. 그리고 웃는다, 웃는다. 그것이 「페르세우스」와 내 생애에 보아온 모든 유성우의 밤이다.

방금 떨어진 단 하나의 유성에도 그런 유사한 감정이 일어난다. 찰나에 나타났다가 사라진 유성으로 말미암아 삶의 생기가 시원스레 확장되는 사실에 가슴이 벅차다. 그리고 내가 천문학자가 아닌 평범한 사람이라는 것이 무척 다행스럽게 여겨진다. 지식으로 받아들이는 무뚝뚝한 아름다움을 오감으로 받아들이는 천연의 아름다움에 비할 바는 아니다. 그러기에 또 유성이 떨어지지 않나 싶어 천공을 향해 계속 눈을 반짝인다. 짧은 밤길을 원망하며. ♣

들길의 꿈

대부분 사람의 낙원은 물상적이다. 늘 푸른 초목과 화려한 꽃밭, 단물이 금방이라도 뚝뚝 떨어질 듯한 풍성한 열매, 한가로운 동물의 느긋함이나 즐거운 노래만을 일삼는 새들, 그리고 청아한 초원에는 어김없이 자유로운 사람들의 무리가 제각기 달콤한 취흥에 잠겨 있다. 물론 조금 더 접근한다면, 죄악의 관념이 죄다 사라져 버린 것을 알 수 있고, 그래서 오직 선한 모양만이 남아 있는 세상을 만날 수 있다. 그뿐만 아니라 절대로 메말라 버릴 것 같지 않은 대양과도 같은 생사불멸의 영원성도 빼놓을 수 없다.

나는 그런 들길에 있다. 먼 산의 부드러운 조형과 파란 창공, 온갖 초목의 신선한 유형들, 기척 없이 풍요하게 변해 가는 전답의 자태, 공기 속에 머문 청량한 생기는 모든 들꽃 잎에 각양각색의 화사한 광선을 불붙이고, 거기서 피어나는 향기에 벌과 나비는 못내 열정적이다.

바람은 잔물결의 가지런한 선율처럼 불어와 고루한 심신을 둘러싼다. 그러자 나의 옷깃은 기분 좋게 팔락이고, 마음은 시원스러운 서정에 도취된다. 발걸음에는 잘 부푼 풍선처럼 둥둥 뜨는 가벼움이 있고, 눈빛은 맑디맑은 샘물인가 여겨져 만물의 빛을 투영한다.

우리는 대부분 단일한 삶의 일상에 잡혀있다. 하루를 부지런히 지냈다 할지라도 지극히 기분 좋은 충만한 역동감의 소득을 얻는 자는 드물다. 당연히 행복의 만찬장을 기웃거릴 수조차 없다. 그러나 지금 내게 일어나는 행복감은 불가사의한 자연의 마력을 찬양케 하고, 무한한 인생의 이상을 긍정케 한다.

일찍이 어떤 열망을 지녔고, 어떤 눈물겨운 기도를 했던가? 지난밤 꿈에선 무엇을 보았지? 행운은 잠자코 말이 없었고, 별자리의 운행도 오늘의 이 행로를 가르쳐주지 않았다. 더욱이 억센 팔뚝으로 기항지를 향한 돛을 펼친 바도 없다.

이 들녘에 닿은 은혜를 누가 주었지? 푸른 나뭇잎의 잎맥같이 싱싱하고 건강한 이 들길을 누가 걷게 했는가? 오호라, 넋 잃은 내 발걸음이야말로 미덕의 규범이 내정한 가장 호의로운 자가 아닌가!

지난날에도 곧잘 그랬다. 모든 소요로부터 벗어날 때면, 으레 내 발걸음의 은은한 힘이 있었고, 그 앞에는 늘 청백하고 평온한 아름다움이 펼쳐져 있었다. 어쩌면 넋 잃은 내 발걸음이야말로 낙원의 길을 아는 유일한 자 인지도 모르겠다. 넋 잃은 내 발걸음을 깊이 찬양한다.

모든 것은 신선한 지평을 향해 열려 있다. 어느 곳을 보아도 애닮은 고적은 찾아볼 수 없고, 불안한 기색도 없다. 오직, 티 없이 잘 자라난 소녀의 꿈이 펼쳐진 듯하다. 즐거이 앞으로 나아간다. 그러나 숲 속의 작은 호수에 떨어진 낙엽처럼 맴도는 듯 떠도는 듯 나아가는 기색이 없다. 마을을 벗어난 지 오랜 듯하였으나, 명쾌한 아이들의 소리며, 털털대는 경운기 소리, 똑딱똑딱 못 박는 소리 등이 초가을의 왕성한 매미 소리와 잘 조율되어 지척에서 들려온다. 하지만, 가만히 귀 기울여 듣지 않는다면, 필시 저들 홀로 경계 없는 투영한 곳에서 만물의 소리와 더불어 있을 뿐이다. 그것은 사실이다. 마을에서 들려오는 소리는 죄다 광활한 공간 어디에선가 잠자코 고요와 호흡하는 것을 느낄 수 있다. 지척에서 들려오는 듯 하면서도 매우 은은하여 말 없는 달빛이 나의 청각에 자리 잡은 듯하다. 절로 미소가 떠오른다.

이런 마음을 재빨리 찾아드는 것은 언제나 정감이다. 마치 오래도록 친숙한 사연을 맺은 것처럼 맞이하는 대상마다 인사를 던지고, 생각지도 않은 대화까지도 정답게 이어간다. 원칙이 있을 리가 없다. '안녕!'이라고 말하면 망초꽃은 하얀 얼굴을 하늘에 들이민다. '이름이 뭐지?' 물으면 풀잎은 나풀나풀 웃는다. 가까운 숲에서는 산새가 '삐익, 삐익' 소리치는데, 나는 그 소리를 '이리 와, 이리 와!'로 듣기도 한다. 들길을 거닐면서 갖는 자연과의 무원칙 교감이야말로 군더더기 없는 가장 평화로운 신앙이며, 자유로운 사랑이다.

들길은 완만한 언덕을 넘어가고 있다. 여행이거나 모험이 아닌, 가볍게 들길을 걷는 행보는 필경 저 언덕에서 멈추고 말겠지만, 언덕에 서면 또 다른 들판과 또 다른 마을이 들길의 생명을 익숙하게 이어갈 것이다. 도시가 있어도 바람을 타고 이어질 것이며, 대양이 있어도 물결을 타고 이어질 것이다. 그리고는 알프스의 어느 소녀의 발길을 춤추게 한 뒤 인디안의 움막을 돌아 차마고도의 차향기를 담고 회귀하여 세계의 일체감과 삶의 동일성을 전해줄 것이다. 언덕은 그렇게 화평한 종점을 말해준다. 그런 저 언덕에 나는 자연스레 다가가 올라설 것이다.

느긋한 여유가 줄 곳 가슴을 간질인다. 한가한 발걸음 속에서는 연방 호기심 많은 꿈이 피어나기도 하고, 유쾌한 재롱이 펼쳐지기도 하며, 한편으로는 고상한 도덕이 자라나기도 한다. 그러다 보니 좀처럼 앞으로 나아가는 기색이 없다.

느린 발걸음에도 조그만 돌멩이 하나가 발길에 걷어차여 도르르 굴러간다. 비틀비틀하면서도 포물선 모양의 행로에서 크게 벗어나지 않는다. 예기치 못한 우연한 행각에도 어떤 유형의 질서가 잘 자리 잡은 듯하다. 재차 다른 돌멩이를 걷어차 보지만, 방향만 다를 뿐 역시 비슷한 행각이다. 그러면서도 돌멩이의 모양과 크기에 따라 구르는 품새는 각양각색이다. 연이어 몇 번을 걷어차는 동안, 호루라기 소리에 길들여진 어떤 규칙을 깨닫는 것보다 훨씬 더 재미난 일을 만난다. 나는 어느새 높은 망루에 앉아 번잡하지 않은 시골골목길을, 그리고 간간이 지나가는 사람들을 내려다보게 된 것이다.

쪼르르 달려가는 마을회관 옆집 아이, 뒤뚱뒤뚱 걷는 뒷집 박씨, 늙은 나이에도 사뿐사뿐 걷는 대문 앞 밭주인 노파, 마을 성당의 종소리가 울리면 어김없이 종소리를 따라 타박타박 걸어가는 마을 새댁, 주취에 비틀비틀 걷는 돌담집 신씨, 그리고 그 뒤를 졸졸졸 따르는 통통한 강아지도 보인다. 그 움직임들은 저마다 앞으로 향하고 있지만, 서로 발자국을 밟는 일은 없다. 매양 다른 모양과 다른 행로로 걸어가는 그들을 볼 때, 이 세상에 지루한 일상과 불안스런 권태 같은 것은 애당초 없어 보인다. 얼마나 안도 되는 일인가. 지루하다고? 권태롭다고? 이렇게 들길에서 만물의 요술 같은 자태가 지상 최대의 화원처럼 화려하게 펼쳐지고 있지 않은가! 눈을 떠라! 그러면 삶의 감동은 빛의 통로를 따라 절로 스며들게 마련이다.

그 계시를 도시에서 찾기란 힘들다. 도시의 길은 물질 욕망과 사회적 권력을 위해 오감을 닫고 무조건 진격하는 길! 그 길은 내가 두려움을 갖고 떠난 뒤에도 여전히 맹렬하게 뻗어 교묘한 거미줄을 치고 있다. 들길의 거미줄은 몇 몇 곤충을 구속하지만, 도시의 거미줄은 인생 전체를 구속한다. 오늘날 교육은 어떤가? 오직 입시에 구속되어 있다. 오늘날 청년은 어떤가? 오직 취업에 구속되어있다. 오늘날 법은 권력에 구속되어 있고, 오늘날 권력은 황금에 구속되어 있다. 절대 풀려날 수 없는 마비된 몸처럼. 이런 형태로 어찌 삶의 감동을 맞이할까!

마지막 돌멩이는 수풀을 찾아들었다. 수풀과 돌멩이 사이에 어떤 또 다른 사연이 생기어 이 들길의 감동을 풀어낼까? 어쩌면 지극한 우정을 새기어 영원히 지속할 삶의 보람을 나눌지도 모르겠으나, 그 내력은 아마도 이 평화로운 들길을 영원히 걸어가는 시간의 꿈만이 알고 있을 것이다. ♣

가을 해안에 앉아

하늘은 더욱 높게, 바다는 더욱 넓게 펼치는 가을이다. 가을은 대체로 사색과 낭만을 즐기기에 좋은 계절이어서, 여행자의 발걸음을 바쁘게 한다. 그 발걸음은 개개인의 취향에 따라 단풍이 든 숲길이나, 낙엽 지는 오솔길이나, 호수로 가는 길 위에 놓이게 마련이다. 그리고 빠질 수 없는 것이 해안이기도 하다.

가을 해안이라면 마치 낯선 고장처럼 생소한 느낌이 들고 만다. 주로 찾는 숲의 화려함에 취한 눈동자가 갑작스러운 정적의 환경에 제대로 작동하기란 힘든가 보다. 가을 해안은 그만큼 비어있다. 그러나 어쩐 일인지 슬픔은 없다. 다만 고요한 아름다움만이 성장해 있다. 거기다가 하늘의 파란 공기와 대양의 푸른 숨결이 어울리게 되면, 그 정경은 마치 끝끝내 부치지 못한 채 서정시집의 책갈피 속에 안겨있는 지순(至純)한 소녀의 편지와 같이 영원한 꿈의 속삭임이 되고 만다.

가을 해안의 사람들은 그런 꿈속의 사람들이다. 누구도 화려한 기색이 없고, 누구도 열정적인 기색이 없다. 반짝이는 조수(潮水)에 기댄 낚시꾼이나 뱃전에 기댄 어부조차도 청순한 음영이 되어 서있다. 심지어 표류하는 쓰레기조차도 하나의 고요한 꿈이 된다.

해안이라는 해안은 죄다 똑 같은 것이 아니어서, 인간이 만들어 낸 항구가 있는가 하면, 자연이 만들어낸 갑(岬)의 벼랑이 있고, 고운 모래의 백사장이 있는가 하면, 바위나 반석이 깔려 있는 만(灣)이 있기도 하다. 그리고 끝없는 갯벌의 해안도 있다. 그들 해안은 사람의 취향이나 목적의 발길에 의해 저마다 다른 가치의 삶으로 인정된다.

사람이 가장 많이 찾는 곳이라면 당연히 항구가 될 것이다. 인간에게 있어서 항구는 가깝고 먼 수많은 해안의 기항지(寄港地)이다. 여객선이 섬의 해안에 보내지고, 원양어선이 이국의 해안에 보내지고, 작은 낚싯배도 갯바위 해안에 보내진다.

다음으로는 백사장이다. 백사장은 여름이 오면 항구보다도 오히려 더 풍부한 가치를 지닌다. 그리고 해운대와 같이 도시에 안겨 있는 몇몇 백사장을 제외하고는 거의 대부분 이내 풍선처럼 터져버리고 만다. 순식간 고요가 깔린 후 멀고 가까운 바다로부터 달려온 고운 포말의 안식처가 된다. 말없는 나그네의 발자국이 남겨지는 곳도 이곳이요, 정다운 연인의 발자국이 남겨지는 곳도 이곳이다. 어느 해안의 집터만한 조그만 백사장은 거의 대부분 쓰레기들로 가득 둘러싸여 있어, 슬픈 눈동자처럼 보이기도 한다. 그 백사장의 바다는 당연히 눈물이 된다. 그러나 작은 게와 갯강구들에겐 더없는 놀이터이기도 하다.

어느 해안이건 갑(岬)의 벼랑은 앙상하다. 대양의 미아 같은 섬이면 섬일수록 더욱 그렇다. 그러나 그것은 미학적인 축복이 가득한 자연의 경지요, 예술의 경지이다. 그 경지는 파도가 이루었고, 바람이 이루었다.

육지에서 대양을 향해 몰아치는 파도를 본 사람은 없을 것이다. 그도 그럴 것이 파도는 망망한 대양의 숨결. 언제나 대양으로부터 육지를 향해 달음박질쳐 온다. 우리나라의 대양은 동해와 남해, 그리고 서해가 있지만, 더 넓고 깊은 심해의 대양은 동해와 남해이다. 동해와 남해의 해안은 대양에서 곧바로 달음박질쳐온 파도와 격풍의 요람이다. 그 때문에 유난히 바위가 많이 드러나 있다. 그러나 어느 부분에 가서는 부산의 태종대나 거제의 해금강 같은, 하늘을 향해 웅지를 펼치는 벼랑을 우뚝 세워놓는다.

대양의 섬들은 특히 그러해서 독도, 홍도, 흑산도, 매물도, 욕지도, 연화도 등의 해안은 접근조차도 어려운 전인미답의 벼랑들로 가득 차 있다. 그러한 벼랑들은 숙연하도록 깊은 태고의 역사가 고고하게 서 있는 것처럼 사뭇 엄숙하기까지 하다.

길도 높은 곳에 있어 내려다보는 바다는 언제나 아스라하다. 갈매기의 흰 등도 아스라하고, 물결은 아예 보이지도 않는다. 쪽빛만이 먼 곳으로 하얗게 번져가고 있다. 그리고 이따금 이런 모습도 보게 된다.

흰 배 한척! 흰 줄기로써 먼저 발견하게 되기 십상인 높다란 갑(岬) 언저리에서 나타난 흰 배 한척! 어떤 항해를 하고 있건 뒤로 기다랗다 뻗어내는 흰 줄기로부터 잠시 멍한 시선을 던질 수밖에 없어진다. 그러다가 문득 그 흰 줄기를 낚시줄 삼아 이국으로의 이별이거나 망향의 그리움이거나 하는 상념의 보석을 낚아 낼 수도 있다.

서해안은 바다의 전답인 갯벌의 해안이 주옥처럼 펼쳐져 있다. 어부는 오로지 갑판 위에 서 있는 줄로만 알았던 도시와 내륙의 아이들의 눈이 휘둥그레지는 곳도 서해의 해안이다. 어부가 경운기를 몰고 바다로 가고, 어부가 바다에 주저앉아 일하는 곳도 서해의 해안이다. 낙지를 땅에서 잡아 올리는 곳도 서해의 해안이고, 조개를 땅에서 캐는 곳도 서해의 해안이다. 도시와 내륙의 아이들에겐 정녕 신기한 해안이 서해의 해안이다.

그러한 서해의 해안은 바다를 정답게 한다. 들판의 전답 같이 땅을 헤집고 수확을 즐길 수 있는 바다체험 현장이 되기도 한다. 이미 온몸은 갯벌의 진흙을 칠하여 우습기까지 한다. 그러기에 더욱 즐겁고 정 깊다.

서해의 해안이 전답의 가치를 지니듯, 해안은 생산의 명목도 있다. 굶주리며 방랑하는 사람이라면 해안을 따라 방랑해 볼 수 있다. 또는 그날그날 먹고 살기만 하면 되는 사람도 괜찮다. 해안에 있는 한, 굶주리지 않고 하루하루의 양식은 충족하기란 그다지 어렵지가 않다.

언젠가 바다낚시를 즐기며 별도로 어망을 던져 놓았더니, 커다란 게가 세 마리나 들어앉아 있었다. 물론 작은 게 몇 마리도 있었고, '배도라치'라는 고기와 '놀래미' 몇 마리도 들어있었다. 낚시에도 '보리멸'이나 '가재미'등이 심심찮게 올라왔다. 낚시가 지루해지면, 바위들 사이를 탐색할 수도 있다. 굴, 고동, 거북손, 배말, 홍합 등과 같은 해산물들이 즐비하다. 모닥불에 구워진 그들은 순수한 생명의 근본을 제공한다.

해안에 앉아 있는 동안 이런 생각도 할 수 있다. 좁고 가파른 협곡에서 고통 받느니, 해안의 흰 파도 앞에서 고통 받는 것이 훨씬 낳지 않겠느냐고 말이다. 용서를 빌 일이 있어도 네모반듯한 대리석 바닥에 서서 비는 일보다, 해안의 하얀 백사장 위에서 비는 것이 훨씬 낳지 않겠느냐고 말이다. 참회를 할지라도 꽉 막혀 어두운 다락방에서 하는 것보다 해안의 갑(岬) 위에 서서 영구한 대양의 수평선을 바라보며 하는 것이 훨씬 낳지 않겠느냐고 말이다.

인생은 깃발처럼 가녀려서 굳건한 깃대가 있어야만 비로소 기분 좋게 매달려 있게 된다. 인생이 독서를 하고, 등산을 하고, 여행을 하는 까닭은 그런 깃대를 얻기 위해서다. 또한 신의 제단에 두거나, 현자나 영웅을 기리는 것도 그런 깃대를 얻기 위해서다. 넓고 깊은 대양의 영광이 만든 해안 역시 그런 풍(風)을 갖고 있다. 더불어 붉은 낙조를 받아들여 예(藝)와 혼(魂)의 요람이 되고, 등대를 세워 희망의 빛이 된다. 그리고 갑(岬)의 해안에 서서 바라보는 수평선은 먼 세계의 꿈을 전해준다. 해안에서 그런 깃대를 뽑아 올 수 있음을 의심치 말라! 가을의 해안을 생각하는 사람이라면 누구나 맑은 사랑을 눈동자 가득히 넣어 올 수 있다. 그것이 비록 빈잔 속의 보이지 않는 공기와 같다 할지라도 가득히 채워져 있음을 의심치 말라! ♣

장엄한 노을

들판은 벼들로 가득 채워져 있으나, 이른 10월의 이때는 자연의 빛으로 저들만이 성장할 때인지라 농부는 할 일이 없다. 인적이 없는 산골짜기의 들판에서 한가했던 모든 것들은 더욱 한가하고, 분주했던 생기들은 숨죽여 가는 빛의 변형에 죄다 몸을 감춘다.

잊힌 유물처럼 태고의 고적을 더한 산골짜기의 들판은 이제 한없이 조용해 졌다. 이렇게 텅 빈 이유로 쓸쓸하기도 하겠지만, 고요한 들녘은 오히려 천연의 생기가 영원히 지속되리라는 생각이 들고, 그 힘과 희망으로 해서 얼마 전부터 내내 움직일 줄을 모른다. 그립고 친밀한 대상들이 넋 잃은 상념 속을 즐거이 떠들며 지나 간지도 오래다. 홀로 있는 저녁 무렵엔 늘 그렇듯이 말 한마디 흘러나오지 않는다. 이토록 잘 꾸며진 배경 속에서 오직 숨죽인 한 폭의 풍경이 될 뿐이다.

그동안 장엄한 구름에 기댄 노을이 쉼 없이 자라고 자라나, 푸르고 고요한 세상을 어느덧 붉고 깊은 저의 들판으로 일구고 있다. 노을은 점점 붉어지고 있는 데, 그 천성만으로도 거룩한 감격이 자라나 일상적인 상념으로 결코 구할 수 없는 그 어떤 무궁한 세계로의 여명을 맞는다. 그에 따라 미와 정감의 도취를 훨씬 뛰어넘어선, 무엇인지 모를 아득하고 깊은 영속적인 세계에 몰입되고 만다. 종교가 구현하는 피안의 세계와 또 다른 그 어떤 영원한 세상의 실체가 느껴지는 것이다. 하지만, 그 진실은 알 바가 없다.

그들 하나하나를 일일이 깊이 생각할 수도 없고 그 어떤 것도 찾을 수 없음이 분명하지만, 노을은 아득한 산맥의 봉우리 위에 무엇인가 틀림없는 명쾌한 예지의 빛을 던져 놓고, 잠깐 동안이지만 아주 긴 시간처럼 깊은 이상과 동경을 불러일으킨다. 그러나 이런 상념을 매번 불러일으키게 하는 것은 아니다.

구름 한 점 없는 노을빛은 신성하고 경건한 풍은 있어 겸허한 예식을 반영하기는 하지만, 장대하고 엄숙한 풍은 아니어서 신비적인 거룩한 세계를 나타내지는 못한다. 장엄한 풍의 노을은 마치 잔뜩 쌓인 죄악을 씻어내려고 빗물이란 빗물은 죄다 가지고 달려가는 듯한 구름의 행렬에 그 빛을 비출 때 비로소 나타난다.

지금이 그렇다. 아득한 산맥 위의 열린 하늘에서 그 불타는 빛의 생명을 살리자마자, 서쪽 하늘의 일부에 조용하면서도 장대하게 걸쳐 있던 엄숙한 쪽빛의 구름을 벗 삼은 뒤, 온갖 무게가 더해진 장엄한 모습으로 거룩하게 펼쳐진다.

사실 이러한 노을의 모습도 보는 시각에 따라 다를 수밖에 없다. 시인이나 예술가의 탐미적인 시각으로 저 노을을 바라보면, 구름의 들판에 황금빛 유사한 모든 색조를 뿌려 마치 그리스의 고전 신화들을 죄다 그려 놓는다고 말할 것이며, 구름이 이랑을 만들어 붉은 자운영 꽃밭을 펼치다가도 금방 지상의 가을 산 빛을 모두 벗겨 이불을 덮는 것처럼 표현할 것이다.

하지만, 나는 명확한 시인도 예술가도 아니다. 더욱이 갈릴레오나 노스트라다무스의 위대하고 특유한 시각을 지니고 자신들의 눈에 투영된 요소를 현실적인 예지로 바꾸어 놓을 수 있는 능력을 지닌 바도 아니다. 일상적인 눈으로 보는 감흥은 마치 모든 물상의 생기를 미리 알기라도 하는 듯 축제를 열지만, 마음으로 꿰뚫는 예지는 매우 초라하여 언제나 의문만을 남긴다. 내가 할 수 있는 일이란, 다만 대자연이 주는 오감을 나의 양만큼 받아들이고, 나의 양만큼 느끼는 일. 오직 순응만이 필요할 뿐이다. 그래서 여전히 세상의 이치에 어둡고 또 살아가는 모양이 왜소할 수도 있겠지만, 개인적 우월주의의 이상한 가면들을 쓰고서 개개인의 성실한 삶이나 존엄한 인생 위에 군림하려는 자들보다야 훨씬 낫다는 생각이 든다.

우리는 가끔씩 「그 어떤 때, 그 어느 곳, 그 누가 어떠했더라면」이라는 생각을 갖는다. 필경 사회에 대한 푸념이나 현실에 대한 부정, 그리고 자기 자신에 대한 불만의 표현이다. 더 나아가 인생의 한계에 대한 무한계의 갈구이며, 이것은 세속의 탈피로도 이어진다. 내 속에도 어김없이 일어나고 있는 일이다. 따라서 내가 저 장엄하고 거룩한 풍의 노을을 바라보며 그 어디에선가 영원한 불멸을 지닌 듯한 피안의 세계를 느끼는 것은 당연할 수도 있는 일이다. 그리고 그곳으로 가는 명료한 길을 생각해 보는 것도 마땅하다. 하지만, 거기까지다. 나는 더 이상 어떤 접근도 할 수 없다. 오직 거룩한 빛의 정경으로써 어떤 존재의 영역을 느끼고, 그 감응을 반영하여 아침 호수의 수면 같은 잔잔한 소망을 지닐 뿐이다.

나는 세상의 모든 사람들이 언제나 정당한 삶을 추구하고, 거기에서 비로소 안식과 평화를 얻기를 바란다. 그리고 저 장엄한 노을이 성인기의 사람들보다는 오히려 자라는 어린 아이의 눈에 비춰들어 언제나 경건한 자각의 충고와 고요한 삶에 대한 포근한 느낌을 부여해 주기를 바란다.

장엄한 노을을 바라보면서 감지하는 영원한 세상의 느낌이라는 것은, 어쩌면 이런 잔잔한 소망의 기쁨 속에서도 자라나고 있는 것이 아닐까 여겨진다. ♣

단풍잎 세계의 속삭임

가을이 오니 예나 제나 노랗고 붉게 물든 잎들이 먼 산을 밝히는가 싶더니, 어느 틈엔가 내 주변에도 서너 그루의 나무들이 노랗거나 빨간 등불을 밝힌다. 그리하여 나는 이것이 한 해의 무성한 생기가 종적을 감추려는 슬픈 눈빛인 줄을 잊은 채, 도시의 어디에선가 돈이나 권력이 아니면 명예나 이성을 소유하려고 하루 내내 쉴 틈 없이 애를 쓰고 있는 몇몇 친밀한 사람들을 불러 들여, 그저 즐거운 웃음이라도 터트려 볼까하고 애를 쓴다.

그러나 어제도 오늘도 그럴 기회를 갖지 못한 채 시시각각 화려해지는 여러 단풍잎들을 홀로 바라보다가, 결국 한 해의 거룩한 성장도 없이 그저 망연히 다가오는 겨울에 묻혀 가는 내 자신을 발견하고는 그만 낭패스러운 기색을 여실히 드러내고야 만다.

어디 한 해 두 해 일이었던가! 매번 똑 같은 상황인데도 전혀 달라진 것이 없는 나를 보면 신통하기도 하지만, 「삶이란 다 그런 것이다.」하여 이 흐름의 옳고 그름에도 무심할 수 있다면, 나는 나의 이 행적에 대하여 다시금 제창이라도 할 수 있으리라! 하지만 내게도 한 해 한해를 통해 성장시켜 가야할 인생의 신성한 꿈과 목적이 있고 보면, 진전이 없는 경과 속으로 한 치의 양보도 없이 그저 쓱쓱 물들어 오는 나뭇잎들로부터 슬픈 애환의 위협을 받지 않을 수 없다.

차라리 자연이 감성의 전부를 지배한다면 단풍잎 하나에도 내 일과의 전체를 두어, 오늘 하루 이 지상에서 무슨 일이 일어나건 열광적인 환희의 가락을 탄금할 것이나, 우리들 내부 속에는 자연도 다 미치지 못하는 밝거나 어두운 부분이 있기에 어쩔 수 없는 일이 아니겠는가!

그래도 노랗고 붉은 단풍잎들을 볼 때 — 아니, 그보다도 더욱 노랗고 붉은 잎들을 볼 때, 우리는 우리의 그 어떤 예술적 힘으로도 따르지 못 할 자연의 마력을 예찬하게 마련이다. 그리고 그러한 제 마음을 표현이라도 할라치면, 그것은 아이가 부모에게 어리광을 부리듯이 천진난만한 귀여움 쪽으로 기울어져 예쁜 단풍잎을 한 잎 두 잎 책갈피에 끼워 넣어 훗날 사랑의 엽서로 사용하리라 마음먹기도 해보고, 한 장의 사진이라도 더 찍어두어 추억을 풍요롭게 보관한 다음 친밀한 누구에겐가 끝없이 자랑이라도 해보고 싶은 것이다. 그렇게 되면 저들 예쁜 나뭇잎으로부터 어떤 두려움을 느끼게 되건, 그보다 먼저 자연이 구사한 아름다운 예술의 빛에 매혹되고, 매혹된 그 어딘가에서 현란한 웃음이나 화사한 산책이라도 하지 않고서는 도저히 배겨낼 수 없는 된다.

가을이 오기 전 벌써 여러 사람에게서 「단풍 구경하러 가야지, 어디가 좋을까?」라는 소리들 들었다. 그들은 어쩌면 힘들고 권태로운 생활 같기도 한 일상 속에서 가을의 예쁜 단풍잎이 주는 희망에 부풀어 올라 하루하루의 어려운 경과를 행복으로 돌려놓고 있는 것이리라! 인간의 마음을 이렇게 자극시키는, 이에 버금가는 인간의 예술이 또 있던가! 자연의 빛이 선물하는 예술은 언제나 인간의 예술 위에 군림하고, 그로 말미암아 우리는 우리의 미약한 존재를 확인하고 인정하며 우리가 나아가야 할 올바른 절차에 귀속되거나, 아니면 더 나은 창조의 의지를 돋우며 살고 있지 않은가!

물론 더러는 자연 위에 군림하는 사람들도 있어 신을 대상으로 그 의미를 삼고 모든 운명을 받아들이지만, 그들 역시 예쁜 단풍잎 아래서 환한 미소를 띠지 않을 수가 있겠는가! 그것을 신의 은총으로 여기거나 어쨌거나 자연은 아무런 불평 없이 가을이 되면 나뭇잎으로 누구에게나 얼굴을 붉히는 데, 이때는 신도 오히려 「단풍 구경이나 가볼까!」 하며 인간의 심판이나 구원을 제쳐두고 이 지상의 단풍 숲을 향해 유쾌히 내려오고야 말 것이다.

이것도 저것도 모르는 아이들이야 더 말할 나위가 없다. 그들 자체가 자연의 천성인지라 빨갛고 노란 나뭇잎에 주저 없이 두 눈을 반짝이며 고운 정을 품곤 하는 데, 이것이야말로 우리가 어른이 되어서도 매년 가을이 되면 어김없이 단풍구경을 가고 싶어 하는 그 흥미로운 마음의 원동력이 되는 것이 아니겠는가!

그런데 단풍이 지는 나무는 그 종류가 많으나, 나는 그 이름들을 거의 알지 못한다. 고작해야 붉게 물드는 단풍나무나 노랗게 물드는 은행나무, 대체로 주홍빛 같은 색채로 빛나는 감나무 정도만 알고 있다. 그러다 보니 산엘 가면 이것도 단풍이 지고 저것도 단풍이 지고 하는 나무들이 수없이 많다는 것을 알고는, 그들에 무관심한 내 자신을 그만 딱하게 쳐다 볼 수밖에 없어진다.

우선 지금 내 앞의 푸른 잎에서 노란 잎으로, 노란 잎에서 붉은 잎으로 변해가고 있는 나무의 이름조차도 모른다. 떡갈나무의 잎처럼 크고 투박한 잎들이 참나무나 소나무의 푸른 배경을 뒤에 두고, 이제는 응달쪽의 몇몇 노란 잎들을 제외하고는 전체가 거의 빨개져 화려하기 그지없는 데, 나는 이 나무의 내력을 전혀 모르는 것이다. 참으로 답답하기 그지없다. 내심으로는 「모르면 어때, 빨간 잎만 예쁘면 되지.」 하고 관심을 돌려보려고 하지만, 그래도 호기심이 일고 궁금한 것은 매마찬가지이다.

간간이 바람이 일어나 서로의 잎들이 부딪혀 소리를 내고, 그럴 때마다 나는 거기에서 혹시 내게 전해 줄 이야기라고 있나 싶어 귀담아 들어보지만, 역시 가을의 메마른 소리만 쓸쓸히 마음을 달군다.

환희의 눈꽃

지난밤의 눈은 가지와 가지마다 눈꽃을 한껏 피워냈다. 아침 햇빛에 부딪쳐 더욱 강렬한 축복을 자아내며 반짝이는 모습은, 금빛 은빛 별들이 한꺼번에 쏟아져 나와 반짝이는 천체인 양 느껴진다. 이 아름다움을 예찬하지 않고서 어찌 행복을 찾는다고 말하랴.

눈꽃은 지상의 축제일이자 미학의 꿈이다. 우리 누구도 화사한 미소를 띠지 않을 수 없다. 입에서 터져 나오는 탄성은 당연히 하프소리마냥 영롱하다. 그런 모습을 보면 우리들의 본능엔 분명 순수한 마력이 숨 쉬고 있다. 순수하고 영롱하게 사물을 받아들이는 매력이야말로 황금으로 치장한 박장대소를 물릴 칠 수 있는 선의 수호신이 아닌가! 기쁘다!

차창 밖으로 한순간 작열하듯 눈동자를 스치는 눈꽃의 정경은 순식간에 지나치지만 온갖 섬세한 영상을 만들어 내기에 부족함이 없다. 아름답게 조율된 자연은 찰나에도 그 무궁함을 잃지 않은 까닭이다. 이만한 풍경이라면 어느 친구를 불러 세워놓고 눈꽃의 화관을 씌워주고 싶기도 하다. 그러나 너무나도 찬란한 눈꽃은 그 신성함으로 인하여 우리의 위락을 쉬 누릴만한 풍경이 아니다. 잠시 홀로 눈꽃의 미학에 대한 감명에 사로잡혀 본다. 하지만, 그 명분을 지키려고 애를 쓰도 잘 안 된다. 홀로 보기엔 너무 아쉬운 생각이 영 그치지를 않는다.

눈꽃은 환희이다. 심드렁하게 앉아서, 또는 걸으면서 내면의 지성을 꿈꾸는 명상이나 사색으로써 다룰 의미가 아니다. 순수하지만 찬란한 눈꽃은 매우 역동적이어서 펄펄 살아 숨 쉬지 않으면 안 될 명목이 있다. 한편으로는 찬란하지만 순수한 점이 있는 까닭에 영화「러브스토리」같은 순수한 연정이 제격이기도 하다. 그렇다. 눈꽃의 환희는 순수한 연정을 검은 눈동자에 주옥같이 심는다. 나무토막 같은 친구가 아니라, 아름다운 청춘의 이성을 불러들여야 하는 것이다. 그리하여 추위에 싸늘했던 상아빛 얼굴이 눈꽃 앞에서 웃고, 떠들고, 뛰고 하는 사이에 빨간 홍조가 깃들게 되면, 더욱이 천진난만한 기색으로 쌕쌕거리기까지 한다면, 심혼의 내밀하고도 신성한 입맞춤이 치솟아 올라 도저히 참을 수 없게 된다. 그런 경과 속에 있어야만 비로소 눈꽃의 환희가 제 몫을 다 한다.

찬란함을 빼고 순수함만으로 치자면, 어린아이도 멋진 배경이 된다. 아이는 틀림없이 혼자 또는 엄마와 함께 새하얀 나무의 중간에 서서 이 지상에 없는 새하얗고 찬란한 천국의 깃털을 펼친 공작새의 모습이 된다. 물론 아이는 아이대로 자기 눈빛을 갖는다. 그 눈빛 속에 눈꽃은 더욱 분명한 보석의 빛으로 반짝인다. 그래서 아이는 자꾸만 움직이고 자꾸만 잡으려고 한다.

어린아이가 그러는 이유를 잘 알지 못한다. 눈꽃 앞에 한번쯤은 있었으리라 생각되는 내 유년기의 기억도 전혀 없다. 어느 한 땐가 그 모습을 보고, 그 느낌만으로 규정지을 뿐이다. 불충분하리라 여겨지지만, 그래도 나는 눈꽃으로써 어린아이의 순수를 보고, 눈꽃으로써 어린아이의 보석을 본다. 영영 소중히 보듬어 안아야 할 그 맑은.

어떤 풍경이건 눈꽃 속의 풍경은 놓치기 어려운 풍경이다. 당연히 사진기를 들이대거나 눈꽃 앞에 서있는 사람들이 눈에 띈다. 아쉽게도 오늘따라 연인들이거나 아이와 함께한 사람들은 없다. 그래서인지 그들은 웃음을 잃지 않으면서도 허수아비처럼 외롭다. 보수적인 몸짓, 동양적인 절제, 무엇보다도 연정의 개입이 없다는 것, 그리고 모두가 인정하는 천사인 어린아이가 없다는 것! 저들에게 눈꽃이 부르는 환희의 노래가 귀담아 들어질 리 없다. 눈꽃의 아름다움을 즐거워하는 마음만이라도 사진에 담아보고 싶은 몸부림만이 고스란히 드러날 뿐이다.

애정의 씨앗이 전혀 없는 나는 벌써부터 그런 마음이다. 혼자서 애만 탄다. 환희의 눈꽃은 저기 있는데, 불러 세울 사람이 전혀 없다. 결국 홀로 눈꽃 앞에 선 내 모습이 지레 상상되는 지라 그냥 차창 밖으로만 만족하는 것이 낳다 싶은 생각을 하게 된다. 하지만, 그렇게 되질 않는다. 혼은 이미 눈꽃의 제물. 어쩔 수 없이 이 황홀한 순간에 대한 사진만은 꼭 찍고 싶어진다.

햇살에 점점 녹아내리는 눈꽃은 더욱 반짝이며 더욱 세공되어져 이제는 아예 나무들을 온통 산호모양의 보석나무로 만들어 놓고 있다. 아무리 혼자라도 자꾸만 눈이 부시고, 자꾸만 감격하다보니 보다 나은 눈꽃 나무를 찾는 들뜬 눈길만이 몹시도 조급하고 분주해졌다. 그 덕분에 나는 더욱 찬란하고, 맵시 있고, 화려하기 그지없는 멋진 눈꽃 나무를 찾았다. 그 나무는 논길 저편 들녘에 홀로 서있다. ♣

3부

자연, 아련한 상념과 사색

산책길의 몽상

힘과 변형의 기세들이 축제를 펼치던 들녘의 소요는 사라졌다. 이제 아무도 찾지 않는 고요한 정적만이 한동안 자기 존재 속에 스며들어 충만한 보람을 느낄 것이다. 그러나 대지의 형상이 되는 모든 풍경들은 여전히 살아서, 단지 한 해만이 아닌 모든 역사를 아울러 저마다의 존재와 삶과 꿈을 이야기를 하고 있다.

커다란 산맥은 태고로부터 만물을 품어 온 자신의 전설을 이야기하고 있고, 하천의 물결은 만물의 생명을 지켜온 보람을 느낄 수 있노라고 이야기하고 있다. 벌써 앙상해졌지만, 그들 속에서 나무 역시 우리들 인간에게 은혜롭게 살아온 이야기를 하고 있다.

"나는 내 아래에서 꿈꾸던 사람들을 보았노라. 그들은 내 잎 푸르던 아래 누워서 그들의 지고한 생명의 연정을 청했노라. 그들은 내 잎이 지는 날에도 내 아래 앉아 긴 인생길을 오랜 날의 추억에서부터 머나먼 꿈까지 둘러보았노라. 그들의 생명과 인생길은 나로부터 힘을 얻었고, 그 힘은 그들 삶의 모든 형질을 청정하고 온유하게 물들였노라."

그 이야기는 실로 진실한 것이다. 나무는 친숙한 자에게도 낯선 자에게도 똑 같이 인간을 위한 성스러운 장점만을 가진 피조물이다. 나무는 성자(聖者)이다. 이러한 결정을 통해 우리가 자문해야 할 것은, 친숙하여 애정이 감돌거나 자기성취에 유익하여 친애적인 태도를 취하거나, 아니면 적대시 하는 분별을 갖는 것을 일상으로 하는 우리 인간은 도대체 누군가를 위해 무엇을 하고 있느냐는 것이다. 부처나 예수 같이 평온과 사랑을 주는 희대의 성자가 있기는 하지만, 사실상 그들로부터 이룩된 평화공존의 세계는 절대로 올 수 없는 양 나타나지 않고 있다. 그것은 애당초 우리에게 나타날 것이 아니었는지도 모른다. 그러기에 우리는 기도를 하면서도 투쟁력을 앞세우고, 경전을 읽으면서도 잠금장치의 기술력만을 고도로 익히고 있는 것이다. 친애하는 자는 극소수요, 적대하는 자는 부지기수인 우리 삶의 상태는 치유하기 힘든 희귀질환마냥 암울한 것일 수밖에 없다.

가을날 들길에서 한 그루 나무를 바라보자. 물론 계절은 어느 때라도 좋고, 어느 시간대라도 좋다. 그리고 모두를 사랑하는 나무의 성스러운 장점을 배우자. 그것은 잉태된 우리 아기들로부터 시작함이 좋을 것이다. 현존하는 상태의 우리는 이미 분별과 차별심의 경지에 올라있기 때문에 어떤 법리와 훈시로도 '만인의 사랑'이라는 자세를 갖추기 힘들다. 현존하는 상태는 이미 인종, 계층, 빈부, 문화, 이밖에도 차별화되고 적대시되는 너무 많은 것들이 있어 일일이 나열할 필요조차도 없다. 생활의 세밀한 곳까지 피아간의 전투장이다.

생각건대 나는 여태껏 나무 아래 선 임산부를 본 적이 없다. 어딘가에 그 모습이 있기도 하겠지만 나무의 성스러운 장점을 태아에게 소곤소곤 듣게 함이 아닐 것이다. 이제는 듣게 하자. 한 그루의 나무 곁에서 태아에게 나무의 성스러운 장점을 알게 하자. 막 영그는 태아의 순백한 혼이 나무의 성스러운 장점으로 거룩하게 물들도록 하자. 그것밖에 달리 세상을 청정하고 온유케 만들 방법은 없다.

푸름의 향응에 축제처럼 즐겁던 길은 이제 계절의 변천에 순응하여 누런빛과 동행하고 있다. 이 모습에 마지막 여정이라는 암시는 드리우지 않는다. 계속하여 순환하는 질서 있는 자연의 행간만이 성실한 모습으로 나타난다. 그래서 길은 여전히 제 일을 다 하려는 듯 이리저리 갈라지며 저마다 여기저기로 스며들고 있다. 그 끝은 마을로 숨어들기도 하고, 전답이나 숲에 걸려있기도 하다. 때로는 외딴집으로 스며들어가 긴 밤을 지새운 피곤함에 지쳐 잠들었던 커다란 개를 깨워놓기도 한다.

깨어난 개는 낯선 사람을 위한 사랑의 준비가 전혀 없어 보인다. 오직 맹렬한 공격만이 그 삶의 전부로 보이기도 한다. 그러나 저 개가 낯선 자에게 할 일은 오직 그 뿐이다.

우리에게 낯설음이란 무엇인가? 두려움 자욱한 어둠 속에서의 정신없는 방황일지도, 또는 가슴을 간질일 은밀한 유혹이 스며들 은근한 갈망의 통로일지도, 그런가 하면 환상과 쾌감이 접목되어 불꽃처럼 자라는 달콤한 열매일지도. 그러나 어느 것이건 우리의 의지가 밀려나는 다소 긴장되는 침입자라고나 해야 할까? 그리고 우리는 그와의 전쟁에 뛰어들어 승리를 위해 대항케 되고, 그리하여 또 하나의 세계를 알고 열어가는 기쁨의 전리품을 얻는다. 인류의 번성은 어쩌면 그 낯설음으로 희망을 얻어 여기까지 왔는지도 모른다. 그러나 낯설음은 그렇게 승리의 축배에서 외칠 영웅의 이름일까?

외딴집 개의 격렬한 반감은 결국 스스로를 옭매어 기껏 몇 걸음 내에서 빙빙 돌게 되는 운명에 처해졌다. 그러나 어쩌면 저 개는 애초부터 자기 삶의 사랑이나 평화에 대해서 무관심할 지도 모른다. 차라리 그 편이 더 낳을 지도……. 무수한 위기의 파편이 휘몰아치는 사회 속에서 울부짖는 우리의 절망적인 모습을 볼 때, 끊임없이 날아오는 세금고지서에 미라처럼 쭈그러드는 입술의 갈증을 느낄 때, 지옥의 탈출을 긴박하게 암시하는 교회 탑의 종소리가 들려올 때, 폭풍의 비바람에 전기가 끊길 때, 지친 몸을 억지로 세워 새벽길을 나설 때, 우리는 우리 삶을 얼마나 두려워하고, 원망하며, 저주하는가!

그러나 <개팔자가 상팔자>라 해도 묶임의 생애는 인간의 길이 아니다. 우리들 인간은 자유의 총아들. 누가 목줄을 견뎌내랴. 실제로 반영할 수 있는 생애는 절대 아닌 것이다. 격렬한 반감은 누구에게든 적대시 되고, 외롭게 된다. 개에게도 그러한 오의가 있어 사뭇 순해지길 바랄 뿐이다.

개의 반감으로부터 멀어진 곳엔 또 다른 세계가 있다. 이따금 흔들리는 수줍은 쑥부쟁이, 노란 산국, 흰 억새꽃. 이들로 인하여 계절은 얼마나 열렬했으며, 곤충들은 얼마나 활달했고, 햇살과 바람은 또 얼마나 정열을 다했던가. 이들이 우리들 눈앞에 있다는 것은 어떤 뜻인가. 식어버리고 죽어버린 감정을 깨운다는 것, 아름다움의 가치와 낭만적인 사랑의 조력자를 얻는다는 것, 또는 잘못된 생체의 희망을 얻는다는 것, 그것은 말없는 가운데 부지런히 작업되어 아무것도 아닌 듯 슬며시 건네지는 것. 그리하여 우리는 참으로 귀중한 기쁨의 선물을 받고 있다는 뜻이다.

우리는 거기에 사무치는 마음을 지녀야 한다. 저들이 있는 이 대지에서 살아가고 있다는 것을 항상 감사해야 한다. 자연에 대한 침묵은 멋진 세간을 지니고 있고 화려한 행락을 구가하고 있음에도 불구하고 메마른 꿈과 거친 언어와 저속한 수단을 만든다. 그리하여 우리 세계의 비애를 낳는다.

자연과의 교감은 누구에게도 어려운 일이다. 그러니 감정이 무뎌 아무런 기색을 느끼지 못하고, 감성이 약해 다사로운 언어를 구사하여 친밀함을 표현할 수 없을지라도 부끄러워 할 필요는 없다. 우리는 가벼운 눈인사만으로도 친애적인 감정을 느끼게 된다. 그것은 부단한 용기나 노력 없이도 화평한 세계의 문을 여는 편리한 열쇠와 같은 것이다. 그러므로 이 자연의 총아들에게 잠깐의 눈인사만이라도 할 수 있다면 그로써 자연에 대한 침묵은 깨어지는 법이며, 그 순간 자연에 대한 친밀감이 가족애처럼 싹트게 된다.

산야에서 쉽게 볼 수 있는 쑥부쟁이 앞의 사진사, 노란 산국 곁의 여인과 그녀의 아이들, 흰 억새꽃 사이의 연인. 그 풍경에 드리운 것은 오직 순진무구한 삶의 태도이며, 평온한 인생의 자태이다. 그 모습들이 시선 밖을 벗어나는 일없이 영구히 머물러 있다면, 오직 그 자체만의 세상이 있다면, 구태여 저 피안의 낙원을 찾아서 무엇 하겠는가! ♣

숲으로 가는 이유

오솔길을 따라가면

숲을 찾는 일은 신성하고 따뜻한 일이다. 현실의 호사스러움도 버려지고, 처절한 악몽도 버려진다. 그 숲을 걷는 것은 청렴하고 경건한 일이다. 그 지경은 호젓한 오솔길에서 더욱 지극하여 달밤의 소쩍새 울음처럼 애처롭고 그리울 정도로 이속적이다.

여울 반짝이는 개울과 같이하면, 몹시도 청량하고 명랑하여 모닥불 피워놓고 노래하는 것처럼 낭만적이다. 때로는 다람쥐, 때로는 뱁새, 때로는 바람꽃이 나타나 거리의 악단처럼 즐거움을 연출하는 공연적이다. 그 모든 것들로부터 우리의 영혼은 지워진다. 그 후 오솔길이 우리에게 말해주는 것은 없다. 오솔길과 우리는 서로가 말없이 서로의 일상을 갖는다.

오솔길을 따라가면 거의 관조적이 된다. 멀리 보이는 석양속의 나그네 실루엣 같이 묵시적인 아련함 같은 정서. 그 정서는 백지가 된 영혼의 하얀 바탕위에 비밀이 없는 나 자신의 일기를 쓰게 한다. 그 일기는 현실에 있는 내 존재를 자각하면서 추억을 만들고 미래를 만든다. 그동안 숲은 고요한 정원이 되어 삶의 새로운 기원을 돕는다. 우리에겐 늘 이것이 필요하다.

우리가 오솔길을 걷게 되는 이유도 거기에 있다. 어쩌면 애당초 벗어나지 말았어야 했는지도 모른다. 우리의 순수한 현실을 위해. 그리고 다람쥐 같이, 뱁새같이, 바람꽃 같이 살았어야 했는지도.

하나의 잎

숲에서 맨 처음 만나는 것은 수많은 잎들이다. 우리는 그것을 풍경으로만 바라볼 뿐 하나의 잎을 가만히 바라볼 줄 모른다. 우리는 하나의 나뭇잎 앞에 서서 그 잎을 가만히 바라보지 않으면 안 된다.

하나의 잎에는 맑은 샘물이 솟고, 맑은 햇살이 반짝이고, 맑은 공기가 퍼진다. 그들이 먼 옛날부터 자라와 숲이 생겨나고, 또 수많은 생명을 포용한다. 우리도 거기서 자유로운 숨결을 얻는다.

하나의 잎 속에는 우리들이 있다. 행복과 불행의 운명이 비치지 않는 순수한 물체들로 태어나 있고 잠들어 있다. 그러나 깨어나 영혼을 읽어내면서부터 가는 길이 달라진다. 어떤 이는 행복의 길을 가고, 어떤 이는 불행의 길로 간다. 때로는 행복의 길에서 불행의 길로 가기도 하고, 불행의 길에서 행복의 길로 가기도 한다. 하지만, 그 길들은 잎 속의 작은 길들이다. 숲 속에서는 더더욱 작은 길들이다. 숲에서 나 자신의 일들을 쉽게 잊을 수 있는 까닭은 나의 길이 너무나도 작은 길이기 때문이다. 숲길을 걸어보라. 우리가 도대체 얼마나 큰가? 그저 팔랑이는 잎에서 퍼지는 한 줄기 바람일 뿐이다.

하나의 잎은 우리가 깨어나 영혼을 읽기 시작하기 전의 상태를 보여준다. 우리의 순수한 물체를 향한 회귀의 본능을 이렇게 남몰래 숨겨놓고 있다. 우리가 하나의 잎을 바라보아야만 하는 이유도 거기에 있다. 하나의 잎을 바라보면 마음의 거친 상념들이 한없이 작아지고 아득해진다. 우리는 원래 그렇게 소소한 기색을 지닌 물질이다. 마치 내가 없는 것처럼.

숲으로 가는 이유

숲에는 생명이 있다. 그 생명은 동적인 생명들이기도 하고 정적인 생명들이기도 하다. 숲은 나무의 무리지만, 실제는 지하에서 천공까지 모든 것을 꿰찬 염주 같은 환형이다. 그 환형 속에 생명을 꽃 피워 끝없이 윤회시킨다. 숲은 그 모습을 감추고 우리가 우리의 뜻대로 살고 있음을 고요히 지켜본다.

우리는 어떻게 살고 있는가? 사랑, 성공, 부, 유흥, 권력, 아름다움, 신앙, 꿈의 건반을 찾아 격렬한 소나타를 연주하고 있을 때, 누가 감상하고 있을까? 수많은 관객들이 있지만, 결국은 나 밖에… 허허롭게도 나 밖에 나를 감상하고 있지 않을까?

그 고독으로부터 나가려면 나 자신과 관객에 대해 관조적이어야 한다. 그 무엇을 보건 멀리 지켜볼 때는 격랑이 일지 않는다. 수평선 같이 오직 고요한 풍경밖에는. 숲의 환형이 말없이 부르는 때는 이때이다. 숲은 본능의 전령사를 통해 모정을 보내온다. 문득 계시를 받듯이 아련한 그리움이 열린다. 마치 머나먼 옛날을 바라보듯이. 여기에는 현실의 그 무엇도 동조하지 않는다. 다가와 안기는 것은 오직 영혼 뿐. 그 영혼은 순수하고 온화하다. 평화와 안식을 위해 가장 필요한.

우리가 숲으로 가는 이유는 거기에 있다. 오솔길을 걷게 되는 이유도, 하나의 잎을 바라보아야 하는 이유도 거기에 있다. 우리 모두에겐 마지막 안식처럼 여기며 돌아가는 곳이 있다. 그 어디건 삶의 쓰라린 고통과 고독이 없는 곳이리라. 오솔길은 그 귀로이다. 하나의 잎을 만나러 가는. ♣

깊은 산중

숲길을 걸어가는 동안 무엇 하나 성가시게 구는 것들은 없다. 키만 한 나무의 잔가지들이 이따금 얼굴을 날카롭게 스치고 가나, 내 얼굴이 오히려 저들을 성가시게 하는 탓으로 여겨진다. 그렇다면, 꽃잎마저 다 떨어뜨리고 씨앗마저도 새 보금자리에 다 보내고서 기나긴 여정의 마지막 휴식에 빠져있는 까치수영, 참취, 등골나물, 노루오줌, 우산나물, 이 밖의 수많은 야초들 또한, 나의 정처 없는 발걸음에 얼마나 소름끼쳐 하며, 성가시어할까!

나는 숲의 모든 생명에게 이방인이며, 야만인이다. 하지만, 맹세코 저들과 화평을 취하고 싶다. 하나하나의 가지와 하나하나의 풀잎에 조심하면서 진정 악의 없는 조용한 내 뜻을 전하려고 한다. 더디어지는 발걸음도 상관없다. 또 그래야만 한다. 무자비한 서두름 때문에 우리는 얼마나 많은 것을 놓치고 잃어 가는가!

나는 도시에 있는 것이 아니다. 그러나 숲 속에서도 매 마찬가지이다. 숲의 길목에서 스쳐지나간 젊은 청년들에게 관심을 지닌다면, 나는 우선 그들에게 실소를 머금는다. – 용서하라! 하지만, 그들이 걸머진 배낭 속에 도시의 욕망이 그대로 잔뜩 꾸려 넣어져 있을 것을 생각하니 실소를 금할 수가 없다. 그들은 산을 찾되 오직 정상에 오르는 목적만이 있다. 그 목적에는 끓는 힘을 분출한다는 것, 도전한다는 것, 또는 극복한다는 것 등의 여러 경과가 있으나, 이들은 도시에서 갖는 심사나 매양 똑같은 것들이 아닌가! 따라서 이것은 한낱 산을 수단으로 한 젊음의 사치로만 여겨진다.

도시에서도 그러한 것처럼, 변함없이 여전히 그들은 산길을 힘차게 내달린다. 주변의 무엇이 어떻게 부러지고 짓밟혀질지라도, 마냥 무거운 배낭에 허리가 휘어진 채 오로지 땅바닥만 바라보며 하염없이 오르고 또 오를 뿐이다. 도대체 그들에게 초목의 신선함이 무슨 필요가 있겠는가, 산새 소리며 숲의 향기나 생기가 무슨 가치가 있겠는가? 그렇다. 오직 정상에만 오르려는 그들에게 산에 군림하는 모든 신성함과 경이로움이 다 무슨 소용이겠는가!

물론 정상에 올라 갖는 환희의 느낌엔 산이 인정하는 또 다른 무엇인가가 있거니와, 그것은 어떤 이에게 있어서는 때때로 도시에서 이룬 거대한 업적보다도 더욱 위대한 보람을 던져 주기도 한다.

그러나 제대로 난 등산길을 따라 힘차게 걸어 사라지던 청년들이 그 모든 것을 갖는 것은 아니다. 후일 떠들썩하게 주절대는 그들의 무용담은, 거의 대체로 그들이 오르고 내려온 코스에 관하여, 시간과 거리에 관하여, 거기에 약간의 피상적인 시각으로 보인 경치에 관한 이야기로 온통 채워지곤 한다. 그 무용담이 그나마 듣는 사람들의 귀에서 살아 움직이는 것은, 우선 우리가 딱딱한 도시의 일상생활 속에 있거니와, 애당초 매혹적인 피조물로 인정된 산이라는 자연의 실체에 힘입은 까닭이다.

만약 청년 중의 한 사람이 산의 정상에서 느낀 갖은 상념을 조용히, 그리고 진솔하게 이야기를 펼치기 시작하여, 그야말로 산정에 올라서기 직전의 그 설렘이나 기대감, 그리하여 곧이어 펼쳐진 더 넓은 지평의 장대한 산맥의 흐름이 어떻거니와, 운해나 일출 또는 낙조의 운치를 바라보게 되었을 때, 거기서 치솟아 오르는 환희의 느낌, 이윽고 그 웅자들을 뒤로 남기고 다시금 내려와야 할 때의 기분 등이 어떠했노라고 말할 때, 비로소 나는 그가 산을 다녀왔다는 사실을 인정할 것이다.

그것이 참 좋겠다고 생각한다. 인생의 발아기인 젊은 시절에 갖는 느낌과 그에 따른 태도야말로 인생의 실제적 총아가 아닌가!

이제야 비로소 그런 생각을 떠올리지만, 나 역시도 그러지 못했다. 어느 산에 올랐다는 하나하나의 무용담만이 있을 뿐이다. 그러나 나는 어느새 산으로 내려왔다. 그리고 마냥 숲을 떠돌며 숲의 모양과 숲의 냄새와 숲의 소리에 귀를 기울인다. 어쩌다 나도 모르게 산정에 오르게 되기도 하지만, 그 모양은 그 모양대로 내가 숲으로 간 까닭에 부닥쳐진 결과일 뿐이다.

지금도 어디로 갈 것인지조차도 모른 채 그냥 숲을 헤집고 있다. 바위와 바위를 타오르고, 물줄기와 물줄기를 건너뛰며, 구비와 구비를 얼마나 돌아 올라왔는지도 모른다. 오전에 접어들었으나 여기저기 그늘진 곳이 많아 벌써 저녁 무렵인가 여겨진다. 하지만, 산 능선의 헐벗은 나뭇가지 사이에서 하얗게 반짝거리는 햇살의 빛으로 보건대, 저녁 무렵이 아닌 이른 오후의 어느 때쯤이 틀림없다. 자연의 사물들이 모두 그렇듯이 햇살 또한 늘 시간을 알려주는 무형의 시계가 아닌가!

그러나 시간이야 어떻던, 지금 이곳은 정말로 인적이 없다. 산 아래에서 붉게 번성하던 단풍잎들 또한 여기서는 또 한해의 꿈으로 죄다 돌아갔다. 모든 것은 살아 움직이나, 모든 것은 고요하다. 마치 깊은 밤의 물 흐르는 소리를 듣듯, 신비스럽고 이상한 기분이 드는 숲의 이야기를 홀로 듣고 있다.

어머니가 보이지 않는 아이에겐 밝은 대낮도 무서운 밤으로 비치듯, 인적 없는 깊은 산중은 밝은 대낮에도 어스름한 저녁의 기운을 불안스레 느끼게 한다. 으스스한 소름이 끼쳐오도록 마구 뒤엉켜진 칡덩굴이나, 오랜 나날을 부러져 폐허처럼 스산하게 뒤얽힌 나뭇가지들, 습기 찬 검은 바위와 어둡도록 짙은 그늘로 말미암아 더욱더 그렇다.

그러나 그도 잠시, 아무리 깊은 산중이라도 여전히 생기 도는 수많은 것이 있어 외롭지가 않다. 벌거벗은 나무나 오랜 죽음의 고목 등치들도 숲의 일부이며, 바삭바삭 부서지는 숱한 종류의 낙엽도 숲의 일부이다. 이끼 낀 바위며, 서둘러 사라져 간 멧돼지 발자국이며, 소스라치게 놀라 날아가고서 남은 이름 모를 새의 깃털이며, 바람 소리와 그 뒤에 남은 싸한 적막조차도 모두가 숲의 일부이다. 그리하여 숲은 호기심 많은 나의 오감에 시공간을 초월한 탐미적 상념을 부여하고, 나는 내내 분주하면서도 편안하게 경이롭고 신비로운 깊은 산중의 오랜 이야기에 몰입하게 된다.

이 깊은 산중에 군림하는 고적감이나 은둔감, 그리고 신비감이 너무나도 좋다. 이것은 나의 치부를 고백하는 것이기도 하다. 그야말로 현실 속에서 갖는 불만이나 미약함을 나타내는 것이다. 몸부림 한 번도 제대로 쳐보지 못하고 아무것도 할 수 없는 현실 속에서, 사람은 누구나 자기회복과 자기만족을 향한 공상이나 상상 속으로 빠져들기 마련이다. 그런 유사한 심사로써 나는 이런 은밀한 배경에 귀속되기를 좋아하는 것인지도 모른다. 물론 산신령을 보았노라는 어머니의 태몽에 따름 하는 것일 수도 있겠지만, 그냥 웃고 넘겨야 할 이야기가 아니겠는가! 분명한 것은, 이런 깊은 산중은 언제나 무거운 태고의 정적이 지닌 때 묻지 않은 신성한 마력으로 얽히고설킨 세파의 혼돈을 죄다 태초의 원점으로 돌려 보내버린다.

나는 나신이 된다. 때로는 정말로 나신이 되고 싶기도 한 것이다. 메마른 낙엽 위에 벌거벗은 나는 최소한 미친 사람이 아니면, 태초의 인간이 되기도 한다. 그렇다면, 지금 이 깊은 산중에 있을 때, 아예 선포해 버리기로 하자! 「나는 태초의 인간!」이라고.

한 구비를 돌아서자 마치 천년만년의 엄숙함을 송두리째 지닌 듯한, 절벽 같은 거대한 바위가 갑자기 눈앞에 들이닥친다. 어쩌면 나는 그 누구도 서지 않았을 태초의 방문자로 이 앞에 서게 된 것인지도 모른다. 주변의 모든 모양새로 가늠컨대 거의 틀림없다고 여겨진다. 아니, 당연하다. 나는 <태초의 인간>이니까.

그러나 영원한 백지의 기록장 같은 편평한 바위 표면을 바라보는 순간, 문득 이런 생각을 새기고 싶어진다.

"나는 무엇을 하려고 이곳에 왔는가!" ♣

숲 속의 고목

산야를 떠도는 약초꾼인 까닭에 언제나 만날 수밖에 없는 것이 고목들이다. 아니어도 고목을 만나는 것은 그다지 어려운 일이 아니다. 시골을 접하노라면 웬만한 마을 어귀엔 거의 틀림없이 정자나무라는 고목 한 그루 정도는 있으니까 말이다. 사찰에 들러도 그렇고, 아흔 아홉칸 고대광실이 있는 전통마을에 가도 그렇다. 대부분 수백년의 고목들이 한 그루쯤은 서있다.

인가의 고목들은 인연의 고목들인 경우가 대부분이다. 심어질 때부터 고목에 이르기까지 거의 틀림없는 인간의 혼이 스며든 내력을 지니고 있다. 물론 저마다 혼이 다른 인간과 같이 누구에 의해 무엇 때문에 어디에 심어져 자랐는가에 따라 혼의 내력은 사뭇 다를 수밖에 없다.

젊은 날 한 때 나는 어느 민속마을의 4백여 년 된 정사(精舍)를 빌려 거주하고 있었다. 그런데 거처했던 방에서 채 5미터를 넘지 않는 거리에 두 아름드리 정도의 거대한 조각자나무 한그루가 있었다. 조각자나무의 특징은 무시무시한 가시에 있다. 가시나무의 제왕이라 할 만큼 크고, 굵고, 단단한 가시를 지녔다. 이 무시무시한 가시만으로도 집 곁에 심은 이유를 쉽게 알 수 있다. 불행의 악귀를 막는 수호의 혼을 가진 나무인 셈이다.

그처럼 인가의 고목나무는 거의 대부분 뜻을 가지고 심어진다. 뜻은 개개인에 따라 집안의 복, 심신의 자세, 취흥의 풍류 등으로 다양한 목적을 띄게 된다. 그에 따라 수종(樹種) 역시 단일하지 않고 느티나무, 팽나무, 향나무, 배롱나무, 매화나무, 소나무, 은행나무, 회화나무, 피나무 등 다양한 종류가 있게 된다. 어느 나무건 뜻을 가지고 심어지니 애지중지 길러지고, 결국엔 오랜 생명으로 정령이 되고 신성시 된다. 이런 까닭에 우리가 좀 더 혜안을 지닌다면 고목 한 그루로 한 집안의 역사, 또는 한 사람의 내력을 읽어낼 수도 있다.

내 고향 산청에는 세 그루의 매화 고목이 있다. 낙향 선비들의 마을인 남사마을의 「원정매」, 남명 조식 선생의 역사 향기에 어울린 「남명매」, 단석사지 옛 터에 홀로 남은 「정당매」가 그들이다. 그 나이는 「원정매」와 「정당매」가 근 700백년에 이르고 있는 나이요, 「남명매」가 근 5백년에 이르고 있는 나이다. 이 오랜 세월에 있었을 그들의 흥망성쇠는 달이고 달인 가마솥 곰탕 같이 뿌연 진국일 수밖에 없다. 그저 바라보기만 해도 삶의 내력이 주마간화(走馬看花)처럼 눈에 들일이다. 여기에 조금의 지식 정보를 더하여 바라보면 아예 고목의 정령까지 나타나는 신령한 심정에 휩싸일지도 모를 일이다.

고려 때 심었다는 남사마을 진양 하씨 집안의 「원정매」는 사실 고매(古梅)는 이미 생을 놓았고 자손인 신매(新梅)가 다시금 대를 잇고 있는 중이다. 그런데 고매가 생을 놓는 사연을 알고 보면 차마 인연의 혼을 지녔다 하지 않을 수 없게 된다. 바깥주인과 사별이요, 안주인과 별리를 겪고 졸지에 버려진 신세가 되니 생의 의욕을 잃어 삶을 놓아버렸다는 사연이다. 그런 모습을 어찌 자연의 생태 순환만으로 여기랴, 보고 또 보아도 인간사 애절함에 한숨이 터지게 되는 모습이다.

인연에 얽힌 인가의 고목들은 그렇게 우리의 생으로 살아가고, 우리의 삶으로 이야기된다. 그런데 우리 땅에는 그렇지 않은 고목들이 더 많이 있다. 수없이 많으면서도 드물게 이야기되는 고목들, 그 고목들은 숲 속에 있다. 그리고 내가 그 숲에 드는 약초꾼인 만큼 나에겐 인가의 고목들보다 오히려 친숙한 고목들이다.

그렇다. 나는 약초꾼이다. 약초꾼이 드는 곳은 숲 일 수밖에 없다. 30여 년 세월 동안 매일 잠자리에 드는 것 마냥 숲에 들었다. 풍류는 없다. 심신단련의 의미도 없다. 힘들고 힘들지만, 새벽이슬을 털고 나서서 검은 산 그림자에 덮일 때까지 진종일 숲을 헤맬 뿐이다. 오로지 삶의 연명을 위한 행각인 것이다. 나와 같이 숲도 마찬가지임을 안다. 그저 삶의 연명을 위해 생태의 모든 형세를 갖는다. 그리고 모진 삶을 이겨낸 수많은 고목을 낳는다.

숲의 고목은 당연히 천연의 고목이다. 때로는 안면이 있기도 하지만, 대부분 아무 것도 알 수 없는 너무나도 생소한 생면부지의 모습이다. 깊은 산기슭 낯선 장소의 낯선 고목들의 기세는 인가의 고목들이 풍기는 기세와 같을 수가 없다. 사람이 사는 집과 살지 않은 집의 냄새가 다를 수밖에 없듯이 느낌이 사뭇 다르다.

인적이 닿았으리라 여길 수 없는 고적한 천연의 산록에서 낯설게 마주친 고목에 다가서면 절로 신령한 느낌에 휩싸이고 만다. 낯섦 때문이 아니라 기세 때문이다. 그 기세 앞에서 인간이 내세울 기세가 있을까? 나는 절대 그렇지 못하고 오직 정갈해지는 마음의 품격을 갖게 된다. 세월은 몇 아름드리나무의 웅자를 만들었고, 역경의 상흔과 풍파의 마디들을 새김질한 그 웅자 앞에서 한없이 겸손해 질 수밖에 없는 것이다.

신앙적인 이야기가 아니다. 때로는 말로는 설명할 수 없는 것들이 있다. 낙엽이 떨어질 때 덮여오는 무형의 쓸쓸함을 어찌 말로써 말할 수 있으랴. 그와 같이 숲 속의 고목 앞에 설 때 덮여오는 무형의 기세를 무슨 말로 말할 수 있으랴. 다만 낯선 신비함과 그 기세에 내 삶을 순종시키게 될 뿐이다. 이 태도는 역시 인연의 혼에 얽매이게 되는 인가의의 고목 앞에 섰을 때와 다르다고 할 수밖에 없다.

인가 고목이 설교라면 숲 속의 고목은 기도요, 인가의 고목이 독서라면 숲 속의 고목은 사색이다. 또 인가의 고목이 정신이라면 숲 속에 고목은 영혼이다. 천연으로 자란 숲 속의 고목 아래 서면 나는 하찮고 하찮은 내 삶의 은원을 버릴 수밖에 없다. 오직 순수하고 정숙한 모습만이 내가 할 일인 양 느끼기 때문이다. 이 느낌은 빈 배낭이어도 항상 슬픔 없이 산을 내려오는 이유이기도 하다. ♣

동경의 바다

흙과 자갈이 득실한 신작로는 거의 진종일 누워 잠들어 있었다. 사람과 달구지가 간간히 지나갔지만, 그것으로는 꿈쩍도 하지 않았다. 그러다가 멀리서 한줄기 뿌연 먼지가 일어나면 그때서야 신작로는 큰 길로서의 눈을 뜨곤 했다.

어린 나는 그런 신작로가 어디로 뻗어 있는지 몰랐다. 신작로를 따라가면 나오는 것은 언제나 산 밖에 없었다. 그래서 이 세상은 오직 산만이 있는 것으로 알았다. 그러다가 어느 날 문득 길게 접은 손수건을 가슴에 달게 되었고, 책보자기를 둘러매게 되었다.

"땡그랑, 땡그랑!" 아침녘 마을과 지척이었던 학교에서 어김없이 울려오는 그 종소리로부터 달음박질은 시작되었다. 책보자기에 몇 권의 책과 함께 싸인 양철필통 속에서 몽당연필 한두 자루가 영락없이

'탈그락 탈그락!' 소리를 냈다. 그런 땡그랑 소리와 탈그락 소리는 어린 나의 머리에 '감각'과 '지식'이란 이름의 싹을 돋게 했다. 그것은 또한 꿈과 이상의 시작이었으며, 단순에서 이치로의 탈바꿈이기도 했다. 그리하여 어린 나는 저 크고 높은 산이 있는 것처럼 넓고 깊은 바다라는 것도 있다는 것을 알게 되었다.

책과 선생님은 넓은 바다를 펼쳐주었고, 그 바다엘 가면 섬도 있다고 했고, 등대도 있다고 했다. 그리고 학교만한 배도 있다고 했다. 또한 집채만 한 고래와 별 같은 불가사리, 낙하산 같은 해파리도 있다고 했으며, 귀에 대고 가만히 듣노라면 바람소리도 들려오는 소라껍질도 있다고 했다. 동화 속에 나오는 인어공주도 거기에 산다고 말했다. 당연히 호기심이 일었다. 그리고 어느 순간부터 정말로 바다를 보고 싶어 하게 되었다.

왜 그랬을까, 왜 그랬을까? 나는 지금도 믿어지질 않는다.

어느 날 아버지를 따라나선 도시에서 그토록 보고 싶던 바다를 대할 기회가 있었다. 부산이었고, 지금의 자갈치시장 근처 어디였으리라 생각된다. 확실히 학교만한 배는, 아니 학교보다 훨씬 더 커 보이는 배는 있었다. 그러나 바다에만 가면 볼 수 있으리라 여겼던 등대도, 집채만 한 고래도, 불가사리와 해파리도, 바람소리가 난다는 소라껍질도 없었다. 물론 인어공주도 보이지 않았다. 오로지 질퍽하고 어지러운 풍경과 매우 낯선 비릿한 냄새, 또한 정신없이 시끄러운 소리만이 전부였다.

이따금 울려 퍼지는 난생 처음 들어보는 뱃고동 소리도 무의미했다. 차라리 때때로 하늘을 가로지르며 빠르게 날아가는 쌕쌕이 소리가 훨씬 듣기 좋았다. 쌕쌕이 소리에는 한순간 온 몸을 훑고 가는 저릿한 쾌감이 있기 때문이다.

바다는 내가 동경한 세계가 아니었다. 가슴의 불꽃도 전혀 타오르지 않았고, 그리운 것들에 대한 기쁨의 향연도 전혀 일어나지 않았다. 그렇게 무심한 감각으로 바다에 대한 동경은 그만 끝나버리고 말았다.

아버지 탓이었을까? 그럴지도 모른다. 아버지는 어린 나를 대해의 희망을 향한 태종대의 등대나, 파도소리 철썩이는 남해의 갯바위나, 조개껍질 반짝이는 어느 해안의 아름다운 백사장에 데려다 놓지 않았다. 맨 처음 바다를 접하는 어린 나에게 하필이면 무지막지하게 혼잡한 부둣가라니……. 아버지는 어린 나보다 더 감성이 없었거나, 자식의 마음을 전혀 몰랐거나, 둘 중 하나의 재미없는 아버지였음이 분명했다. 만약 아버지가 어린 나의 마음을 알고 푸른 대양이 펼쳐지는 맑고 밝은 해안에 나를 데려다 놓았더라면 어땠을까? 어린 내가 지녔던 동경심에 크나큰 기쁨을 주었을지 모를 일이고, 곧바로 담배파이프를 입에 문 마도로스나 섬마을 총각선생님을 꿈꾸었을지도 모른다.

한편으로 생각해 보면 부전자전이었을지도 모르겠다. 장소가 아무리 그렇더라도 어찌 그토록 감흥이 없었던 걸까? 최소한 어떤 경이로움과 신기함 정도는 느꼈어야만 했다. 그런데도 늘 바라보는 앞마당 쳐다보듯 어떤 감성도 없이 묵묵히 바라만 보았으니, 바다와 나 사이에는 어떤 이질감이 있었음이 분명했다.

오랜 날이 지났다. 그동안 나는 내가 원한만큼 만(灣)의 백사장에서 낭만도 품어보았고, 해안단구의 갯바위에 서서 낚싯줄도 던져 보았고, 곶(串)의 언덕에 앉아 푸른 대양을 향해 꿈의 날개도 펼쳐보았다. 그런 중에 느껴야만 했던 바다는 부산의 부둣가에서 느꼈던 절망스러운 경험이 얼마나 큰 오해였는지를 알게 해주었다. 잠시 뜻하지 않은 장소에서 뜻하지 않은 불평으로 바다를 판단했음을 나는 깨달아야만 했다.

자아의 성장 속에서 인생은 이루어진다. 나와 바다의 관계도 마찬가지다. 영원히 다 누릴 수 없는 온갖 정서의 흐름에 따라 바다는 삶과 죽음, 현실과 이상, 예술과 철학, 또는 사랑과 낭만 등으로 밀물져 들어왔다. 더욱 자라면서 접하기 시작한 바다는, 그렇게 아무리 읽고 읽어도 끝이 없는 무궁한 감각의 세계였다.

언젠가 여명이 시작되는 새벽바다를 보았을 때, 얼마나 힘찬 정열을 보았던가! 언젠가 조그만 어촌의 아침바다에서 얼마나 활기찬 생활을 보았던가! 아아, 언젠가 절경의 해안에서 정감어린 연인과 다정히 바라보았던 바다는, 또한 얼마나 상쾌하고 명랑했던가!

나는 알게 되었다. 겨울바다가 부여잡은 미망인의 수정목걸이와 태풍의 바다가 몰아치는 비정의 전설을, 달빛 어린 바다가 드리운 환상의 애정과 보슬비 내리는 바다가 울려내는 플룻의 고요한 무곡을. 또한 알고 있다. 노아의 바다와 모세의 바다는 징악과 기적의 바다요, 이순신과 장보고의 바다는 민족혼이 담긴 전쟁과 경제의 바다요, 콜럼버스와 신드바드의 바다는 탐험과 모험의 바다이며, 셸리의 바다는 예술인 동시에 죽음의 바다였고, 문무대왕의 바다는 애국의 바다, 박제상 부인의 바다는 영원한 기원의 바다였음을.

물론 밤낮없이 투망과 양망(揚網)의 고된 노력을 해야만 하는 생존수단으로서의 바다는 아니다. 내게는 아직 그럴만한 기회도 없었다. 따라서 내가 느끼고 아는 바다는 오로지 예술 속에서 유유자적하게 즐기라는 『공자』의 「유어예(游於藝)」적인 세계일 수밖에 없다. 그것은 나뿐만 아니라 대부분 사람들의 경우에 있어서도 마찬가지일 것이다.

전설로부터 추상으로, 추상으로부터 실상으로, 또는 실상으로부터 이상으로 이어지는 바다의 숨결은 정녕 물질적이되 정신적인 것이며, 현실적이되 이상적인 것이다. 그러한 바다는 또한 논리적이어서 허구를 품지 않는다.

욕지도 여행을 위해 여객선에 올라 항해했을 때, 배 옆구리에서 너울대는 물결에 현혹되었었다. 깊이를 알 수 없는 짙푸른 심연의 색조는 무시무시할 정도의 미증유의 힘이었고, 그 때문에 내 영혼은 절대 흩어질 수 없는 일체의 정서를 지닌 채 무언가를 해석하려고 오랜 시간 몰아지경에 빠질 수밖에 없었다. 그 상태에서 나는 뜻밖에도 내 자신이 얼마나 많은 할 일을 두고 있는지 알았다. 바다가 내게 어떤 말을 해주었는지도 모르면서. ♣

숲이 있는 도시

도시와 숲은 서로에게 낯선 이방인이다. 숲은 자연의 것이요, 도시는 인간의 것이다. 그러한 숲과 도시의 관계는 어떤가. 서로의 사상과 목적, 가치가 다른 분명한 경계선을 둔 긴장감이 흐르는 관계이다. 도시는 단단함을 자랑하고, 숲은 부드러움을 자랑한다. 이들이 자신만을 고집하면 다툼이 일어날 소지가 다분하다. 그러나 그들에겐 사실 그 문제가 큰 것이 아니다. 도시로 인한 숲의 살육이 있었기 때문이다.

천연의 골짜기가 있다. 서슴없이 마실 수 있었던 청정의 물이 흐르던 계곡이 있고, 오랜 세월을 품은 숲이 천연의 빛과 바람을 맞으며 즐겁게 번성하고 있었다. 상쾌하고 신선한 공기, 안개처럼 흐르는 고운 향기, 초록의 새싹에서 번져나가는 푸름과 단풍, 그리고 앙상한 가지가 갖는 삶의 희로애락의 경과, 숲의 그런 것들로부터 삶이 화색에 물들기도 했고 경건해지기도 하면서 인생의 풍미를 즐길 수 있었다. 그야말로 평화와 안식이 있는 행복을 구하는 인간에게 꼭 필요한 환경인 셈이었다.

그런데 어느 날부터 그 골짜기의 넓은 면이 무참히 잘리고 파헤쳐졌다. 굳센 기계들의 진격은 거침없었다. 암벽에 붙어 자라는 바위말발도리가 암벽과 함께 짓이겨졌고, 고추나무와 회나무가 흙에 휩쓸렸다. 거대한 소나무와 낙엽송, 층층나무와 산딸나무도 무자비하게 찢겨져 나갔다. 그리고 며칠을 가지 않아 숲은 전멸되어 사라졌고, 만평에 달하는 황량한 토지가 영문도 모른 채 누워 하늘을 바라보고 있었다. 그 토지는 '전원주택지'라는 명찰을 달고 수년이 지난 지금도 희멀겋게 드러누워 전원주택들을 기다리고 있다.

그 숲에 살던 수많은 생물들은 어찌되었을까. 돋보기로 확대하여 현실의 세계로 바꿔놓고 보면, 오직 전율할 참상만이 나타날 수밖에 없다. 뛸 수 있고 날 수 있는 몇 몇 짐승과 새들만 피난할 수 있었을 뿐, 대다수의 생물은 대재앙의 참변을 당하며 처절히 몸부림 쳤을 것이다. 더욱 문제는 우리의 숨 역시 가빠지게 되었을 것이란 점이다.

결과적으로 그런 비극의 땅에 집에 세워지고, 마을이 세워지고, 도시가 세워진다. 그리고 어떤 일이 일어나는가. 건물만 있는 정경은 건물이 아무리 아름다워도 황량한 정경이며, 건물이 아무리 단단할 지라도 불안감이 앞선다. 결국 이 구석 저 구석 정원수를 심고, 길을 따라 가로수를 심고, 잠시라도 숨을 틔울 공원의 만들게 된다. 아무리 생각해도 숲의 생기가 없으면 안 됨을 느낀 까닭이다.

이렇게 숲을 다시 청할 것을 왜 그리 잔인하게 몰살 시켰는가를 생각하게 된다. 주거시설을 세우는 과정에서 나무나 숲은 반드시 없애야할 방해물일까? 건설 현장을 바라보면 전혀 대답을 구하는 기색이 보이지 않는다. 그냥 냉정하게 잘라내 버리고, 뒤집어 버리는 과정이 자연스럽기까지 하다. '우직끈!'하며 휘영청 쓰러져가는 나무들에서 지구의 역사가 부서지는 듯하고, 다시 오지 않을 미래가 느껴질 수밖에 없다.

숲이 인간에게 원활한 숨을 준다는 것은 기정된 사실이다. 숲이 없으면 이산화탄소로부터 구제될 길이 없다. 숲이 있어야만 이산화탄소의 악몽을 벗어나 신선한 산소의 품에 안기게 된다. 도시는 어떤가. 그야말로 숨을 막히게 하는 구조물 덩어리다. 이 덩어리가 없어도 인간은 수백만 년을 숲과 함께 진화하면서 살아왔다. 숲은 있어야 하되 도시는 없어도 된다는 말이기도 하다. 숲은 왕성하게 유지시키되 도시는 최소화할 것을 이르는 말이기도 하다. 그런데 인간은 오히려 도시를 위해 숲을 전멸시킨다. 도시를 점점 확대시키고 숲을 점점 축소시킨다. 그래놓고도 숨은 제대로 쉬고 싶고, 생기의 정서도 간절하여 공원이라는 이름으로 숲을 다시 들이는 것이다.

그렇게 들어서게 되는 숲이 예전 같을 수는 없다. 아무리 숲을 들여도 화분 몇 개 놓인 꼴 밖에 되지 않는다. 일상의 대부분이 속수무책으로 벽에 부딪치고, 교통에 얽히고, 기계 소음에만 잠긴 채 흘러간다. 한번 가버린 숲은 여전히 돌아온 것이 없다. 다만 새로운 몇 몇 나무들이 모여 가상의 위안만을 주는 식일 뿐이다.

한 지역에 오래 살았던 사람이라면, 상쾌한 바람을 흔들어 주던 몇 그루의 나무나 작은 동산이 어느 날 한순간에 사라지고, 거기에 문득 굳센 건물이 세워져 있는 것을 느낀 경험이 여러 차례 있을 것이다. 그때 느끼는 격세지감이 좋던가, 나쁘던가. 장담컨대 우리들 대부분 추억을 잃는 갈증만을 느낄 것이다. 우리의 도시가 숨이 막히고 갈증만 있는 그런 도시여야 되겠는가. 만약 한 그루만이라도 옛 나무가 그대로 서있고, 그 곁에 건물이 세워질 때 과거가 현존하는 정 익은 모습을 느끼지 않겠는가. 또한 그 자체만으로도 한결 숨결이 가볍지 않겠는가.

도시는 숲과 연계될 때 건전하고 아름답다. 애당초 도시와 숲을 조율해야만 한다. 지구의 땅이 한계가 있는 까닭에 불가피한 측면이 있을 지라도 노련한 설계를 통하여 오래된 고목들이나 숲의 일부라도 그대로 유지하면서 도시를 건축해야 한다. 그런 자세가 있다면 아무래도 나무나 숲의 비극은 줄어들고, 인간의 숨은 그만큼 상쾌해진다.

숲은 도시의 장식품이 아니다. 도시의 숨을 열어주는 생명의 지반이다. 그 지반이 넓으면 넓을수록 도시는 생기를 얻는다. 미래의 근심도 줄어들어 걱정 없이 활개를 치며 앞으로 나아갈 수 있다. 도시의 번성은 이렇게 이루어져야 한다. 숲을 전멸시키고 번성하려고 해서는 안 된다. 숲을 적절히 남기면서 도시를 짓는 자연친화적인 한 무리의 설계사, 건축가들이 온 도시민의 환호 속에 풍악을 울리며 나타나야 한다. 그리하여 지난날의 푸름이 도시의 곳곳에서 계속 될 때 도시는 인간의 삶에 딱 알맞은 진실한 생기로 번성케 된다. ♣

진주성의 봄빛

진주성, 내 삶에 있어 수 십 수 백리 밖의 장소지만 참 여러 차례 들렀다. 그렇게 친숙한 장소가 되자 방문 목적도 흐려졌다. 그저 유랑의 발걸음이 정감에 이끌려 들른 양 하다.

입성은 했지만 딱히 정해진 바가 없는 보행이 왜바람마냥 이리저리 쓸린다. 풍경을 보며 나들이 걸음이 되었다가 오르막에 진격 걸음이 되기도 하고, 사람을 피해 흔들 걸음이 되다가도 사람에 밀려 아장 걸음이 되기도 한다. 어쨌든 한가한 걸음이면서도 분주한 걸음이기도 하다. 나쁘지 않은 걸음이다. 다양함과 마주치는 것도 길 떠남의 일부이기 때문이다.

진주성은 성으로서의 경관만을 제공하지 않는다. 익히 알려져 있듯 구국의 혼(魂)이 있고, 투(鬪)가 있고, 의(義)가 있다. 이 속에는 김시민 장군의 대승이 있기도 하지만, 무엇보다도 최경회, 김천일, 고종후를 일컫는 <삼장사>를 위시한 7만 명이나 되는 민관군의 처절한 순절사가 있다. 구국을 위해 멸사의 정신으로 헌신 하고 순국했던 민족의 혼들이 진주성 구석구석의 바닥에 혈화를 피우고 있는 것이다. 때문에 엄밀히 말하자면 진주성 어느 곳에서도 발걸음 소리가 들려서는 안된다. 입성하면 오로지 경건한 심신을 갖춰 두고두고 제향(祭享)해야 할 경배의 성이 진주성이다. 이 엄숙한 사실을 생각하면 그저 막연히 들르고 싶어 입성한 내 발걸음이 어이없다. 다만 경배의 예(禮)에 대한 옛날의 언약이 있어 다행이다.

언약은 오래전 초등학교 시절에 있었다. 내 고향 산청에서 아버지의 손을 잡고 아버지는 나를 곧장 진주성에 입성시켰고, 진주성의 역사를 조목조목 설명했었다. 나는 그날 단번에 나라를 지키려고 죽음을 불사한 사람들에 감격하고 존경하는 예를 다짐하게 되었다. 결국 그 언약으로 말미암아 하릴없이 입성한 중에도 남몰래 경배의 품행을 생각한다. 바닥의 혈화가 짓이겨질세라 걸음걸음 사뿐사뿐하는 것이다.

진주성엔 남강의 길고 푸른 풍경이 있고, 사시사철 시시각각 붐비는 군중의 정경도 있다. 성곽에서 바라보는 남강의 푸른 줄기는 시원스러움을 즐기며 보는 사람에겐 도도한 강줄기 풍경일 것이다. 그러나 진주의 지리에 익숙하거나 진주지역의 지질대까지 생각하는 사람이라면 고고한 태고의 풍경까지 면전에 둘 수 있다.

진주지역엔 크고 작은 벼랑들이 있다. 새벼리와 뒤벼리가 대표적인 벼랑들이다. 이곳 진주성의 강변도 작고 낮지만 벼랑 형태이다. 벼랑 아래 서면 오르지 못할 어떤 영속적인 웅장함과 고고함이 느껴진다. 이 자체만으로도 아련히 먼 시공간의 느낌이 몰려온다. 이 느낌은 공룡이 걷고 익룡이 앉던 바닥으로 연장된다. 진주지역의 어떤 바닥은 '백악기 진주층'이라 명명되었을 정도로 태고의 향기가 배어있다. 남강의 아스라한 서녘부터 동녘까지 그렇게 태고의 향기가 깔려있는 것이다. 진주성 성곽에서 어김없이 보게 되는 남강에서 나는 항상 그것을 느낀다.

내 느낌을 아는지 모르는지 많은 남녀노소들의 즐거운 정경이 있다. 나는 저들이 어떤 감정 속에 있는지 모른다. 구국의 혼을 되짚는 경배심을 지니고 있는지, 볼만한 경치에 대한 감흥만을 지니고 있는지, 추억의 앨범에 장식될 사랑의 장소로 새김질하고 있는지 알 도리가 없는 것이다. 그래도 저들의 표정을 보자면 최소한 쾌락적 유흥이 있지 아니함은 당연한 듯 보인다. 여기저기 안내판이 있고 보면 피어린 진주성의 사연이 의식에 들지 않을 수 없을 터이다.

어쨌든 저들 얼굴은 화색이고 즐거워 보인다. 화사한 봄빛과 따사로운 공기에 휩싸인 역사문화의 화첩 속을 누리는데서 일어나는 즐거움임을 의심할 여지가 없다. 나 역시 저들과 별반 다를 바 없다. 다만 사물의 정서를 오붓하게 즐기고 싶은 나는 생각이 크게 흐트러지지 않는 한적한 장소를 찾는 발걸음이 될 뿐이다.

누마루 없이 휑한 「서장대」에 섰더니 서녘에서 흘러오는 윤슬 자욱한 남강의 봄빛이 싱그럽다. 수천 수 만 년 저 모습이었을 터인데, 사람은 어찌 이리 죽고 저리 죽어 슬픔의 세월을 만드는지 모르겠다. 문득 그런 생각이 들더니 갑자기 슬퍼졌다. 강물에 눈부신 봄빛이 아리고 걸음걸이가 급해진다. 「북장대」그늘아래까지 쫓겨 들고서야 한숨을 돌린다. 그리고 귀가해야 할 북녘 하늘을 바라본다, 다행히 이번엔 아련한 봄빛이다. ♣

뱁새들이 날았다

덤불 속에서 한 떼의 뱁새들이 날았다.
얼마나 잽싼지 다음 덤불 사라지기까지 숨 한번 쉴 겨를도 없다.
그들의 흔적은 톡톡 흔들리는 덤불로만 알 수 있다.
덤불의 흔들림은 점점 멀어지더니,
이윽고 모든 것이 저녁 개울가의 고요한 모습을 찾는다.

덤불 속에서 한 떼의 뱁새들이 날았다.
나는 이것저것 생각하며 고민도 많이 하지만,
저들이 나처럼 생각이 있으리라곤 믿을 수도 없고,
고민하는 기척도 전혀 느낄 수 없다.

우리는 삶을 알고 나면, 머지않아 삶의 정체성을 갖는다.
그저 아등바등 먹고 사는 명목 밖에 생기지 않는 것이다.
그리고 뭍 생물보다 낫다는 의식마저도 아련해져 버린다.
그냥 막연히 "행복했으면, 행복했으면" 하는 꿈만이 유일하게 남은 의식으로 작용한다.
그때는 재롱둥이 고양이가 부럽기만 하고,
한 송이 들꽃이 부럽기만 하다.

나는 때때로 뱁새가 부럽다.
덤불 속에서 한 떼의 뱁새들이 날았다.

자연 속의 대화

긴 침묵 속에서 성장하는 일이 반드시 좋은 일은 아니건만, 대화를 잃은 지 오래다. 내 탓이 분명하지만 일부는 사회의 탓일 수도 있다. 그러나 그 어느 것이건 크게 불평할 여지는 없다. 줄기찬 대화의 전당 속에서 하루의 일과를 마친 자에게도 의문은 남게 마련이다. 어쩌면, 그는 일과 후 침대에 누워 더욱 무서운 대화의 부재를 느낄지도 모른다. 그렇게 되면 홀로 있는 까닭에 대화의 부재를 겪는 나보다, 군중 속에 있으면서 대화의 부재를 겪는 그의 형편이 더욱 애달프다.

실제로 그렇다. 나는 그 만큼이나 애달픈 자가 아니다. 오히려 그의 습기 찬 가슴에 던져 줄 널따란 손수건이 나에게는 있다. 자연이다. 눈동자를 스치는 물상마다 대화이며, 귓불을 스치는 음색마다 대화인 자연 속에서는 필경 그 무엇이 달라진다. 고독하고 침울한 자에게도, 즐겁고 활달한 자에게도 자연은 똑같이 그 어떤 신성한 변화를 준다.

자연 속에서의 침묵은 완전한 정적이 아니라 끝없는 대화이다. 만약 자연 속에서 침묵을 소름끼치는 고적으로 여겨 시달림을 받는 자가 있다면, 나는 틀림없이 그를 이상하게 여길 것이다. 물론 쓰라린 연정의 개입으로 외로움에 쫓겨 떠는 일부를 수용 못할 바는 아니지만, 그러나 자연은 그의 슬픈 비밀에도 동조하여 똑같은 슬픈 이야기가 되어준다. 그리하여 그를 완전한 침묵의 동굴 속으로 놓치는 법이 없다.

슬픔은 슬픔대로, 기쁨은 기쁨대로, 자연은 거기에 딱 알맞은 내력으로 인생에 호응한다. 그런 자연 속에서 우리는 마치 수천 킬로를 나르던 철새가 비로소 오랜 친밀감이 있는 낮익은 곳에 내려앉아 환희의 노래를 소리 높여 마음껏 외치듯이 환희의 대화록을 마음껏 펼쳐 볼 수 있다.

대화의 대상이 없음을 걱정 말라! 대화는 언어의 소산물만이 아니며, 인간의 전유물만이 아니다. 침묵 속에서도 대화는 성립되며, 자연

속에서도 대화는 이루어진다. 또한 시원찮은 언변도 걱정 말라! 자연 속에서라면 그 어떠한 우둔한 화술에도 불구하고, 마음의 뜻이 이슬 방울 마냥 아름답게 빛날 수 있다. 자연의 충분한 배려 속에서 우리 자신은 자연의 일부로 소유되며, 그 자체 만으로써도 심원한 지성적 화술이나 소박한 담소적 화술에 도달하기 때문이다.

물론 호젓한 오솔길을 거닐며 갖가지 대화를 진종일 나누었을지라도 제대로 남는 내용은 좀처럼 없을 수도 있다. 그 순간순간은 인생을 송두리째 변모시킬 듯한 예지가 번쩍인다거나, 또는 대단히 감미로운 상태에 매혹 당하기도 하지만, 낙조가 드리우고 귀로에 오를 때에 이르러서는 오직 향긋한 애수나 향수의 향기만이 남아 고요히 호흡을 정리 할 뿐이다. 어쩌면 그것이 오히려 더욱 아름다운 것인지도 모른다. 「분명」한 것은 대체로 꿈결 같은 흥미를 난도질 할 뿐이다. 우리들이 갖는 흥미야말로 우리들의 무궁한 존재의식이 아닌가! 그러므로 자연 속에 있었던 대화에 대해, 애써 뚜렷한 명분을 지니려 할 필요는 없다. 희미한 기억만으로도 하루하루의 의지는 충족된다. 비록 얻어지는 그 어떤 피상적인 업적은 없을지라도, 순간순간의 충일 한 보람은 사회적 업적의 영광을 훌쩍 뛰어 넘는 것일 수도 있다.

그러나 현실적 의미로 본다면 역시 단순한 감성의 유형에 지나지 않을 것이다. 「현실」은 대체로 피상적인 외형에 만족하기 때문이다. 우리들의 이 시대는 이성적인 배려나 철학적인 요소, 또는 이상향의 구현이 없이도 외형상 만족스러운 것이라면, 그 자체가 곧 이성의 실현, 철학의 표현, 이상향이다. 이러한 시대상의 대화는 어떤가. 대체로 자신의 치장을 위한 방식이 아닌가! 하지만 대화의 논리가 어떻든 현실과 잘 동조되는 것이라면 그 누구도 부당한 지적은 하지 않을 것이다. 자신의 영광을 독백하거나, 자신의 주장을 웅변한다거나, 자신의 사상을 논설하는 방식이야말로 현실이 갖는 엄연한 대화의 당위성인 까닭이다.

반면에, 현실 감각도 없고 특출 난 맵시에 연연하지도 않으며, 나그네처럼 어떤 정착성도 없이 제 마음대로 감성을 누릴 수 있는 자연 속에서의 자유로운 대화는, 그 의미가 어떻든 단순한 가치에 몰려 점점 버려지고 있는 것들의 하나가 되어가고 있다. 옳게 말하자면 우리의 천성이 또 다른 변화 속으로 바뀌어져 가고 있는 것이다.

그 변화가 인생의 풍요를 위한 변화인 지 인생의 침몰을 위한 변화인 지는 개개인이 느끼는 삶의 가치에 반영되겠지만, 적어도 나에게는 사회속의 그러한 태도가 슬프다. 언제나 암울한 고적을 느낀다. 때로는 누군가와 절실히 대화를 나누고 싶지만, 일찍이 달변가의 자질을 받지 못한 나로서는 현대 사회가 요구하는 화려한 황금의 입술을 지닌 재간이 없기에 괜스레 걱정이 앞선다. 좀처럼 유쾌하지 못한 나의 이야기에 대하여 저울질하는 어떤 심장소리, 무신경한 어떤 눈빛, 조소하는 어떤 입술이 두려운 것이다.

만약 누군가가 나와 동행한다면, 그리고 내가 단지 인간으로서의 동행자에 불과하다면, 나는 변변찮은 화술과 부끄러운 자각에 의한 침묵으로 그를 줄 곳 긴장시킬 수도 있다. 인간의 오감 속에는 필경 서로 다른 관조력으로 친분을 조율하려는 성향이 있기 때문이다. 그러나 내가 단순한 동행자가 아닌 자연으로 인정된다면, 화술이나 침묵에 아랑곳없이 그는 곧장 화평을 체험할 것이다. 그리하여 서로의 눈빛을 정감 있게 바라보고, 서로의 마음을 온화하게 긍정하며, 기쁨에 겨운 미소로써 내내 동행의 나들이를 만족스럽게 유지할 것이다.
아니더라도 자연과 무관하게 함께 있는 기쁨이 있는 법이며, 그것은 잘 성숙된 친교의 매력이기도 하다. 하지만, 그 이면에도 자연의 암시는 드리워져 있는 법. 맑은 대기, 눈부신 햇살 등으로 꽃잎을 빛내듯이 자연은 보다 근원적인 친밀감으로 우리가 갖는 모든 관계를 밝게 빛내 준다.

나를 비롯한 나와 유사한 자의 탄식을 떠나서 ― 아니, 우리 모두를 위하듯이 ― 자연속의 대화는 어떠한 경우에도 그 아름다운 품을 잃지 않는다. 사회속의 대화가 제 아무리 불가사의한 마력으로 기세를 드높여도 우리들 한 때의 만용을 묵묵히 지켜볼 뿐이며, 현대의 기계 소음으로 우리들 마음이 아무리 고갈되어도 자연의 내밀한 대화를 물리치지 못한다. 그리고 어떤 자의 매혹적인 화술이 뭍 군중의 마음을 온통 사로잡을지라도 어느 한 때로서 충족될 뿐, 영구한 자연속의 대화에 비길 수 있는 바는 아니다.

자연은 거짓의 대화를 봉사하지 않는다. 임기웅변도 아니요, 오늘을 위해 내일을 버리지도 않으며, 정다운 미덕의 천성이 있어 허물을 주고받지도 않는다. 위대한 시는 언제나 자연의 이야기 속에서 태어난다. 자연을 배경으로 삼지 않는 아름답고 순결한 사랑의 이야기를 상상이라도 할 수 있겠는가. 자연속의 대화는 진실의 근원이자 아름다운 상념의 지혜이다.

우둔한 나의 입술에 있어서 자연이야말로 가장 참다운 친구이자 크나큰 위안이다. 이런 속에서 시간과 환경, 지혜와 애정이 적절히 조화된 아늑한 대화의 장을 펼친다면 그 누가 뭐래도 시시비비에 마음 상할 일 없으며, 사회에서 쉬 갖는 활화산 같은 신경성 증후군은 갖지도 않을 것이다. 물론 이래저래 외양이 빛나는 영광은 없을 테니 초라한 행색은 되겠지만, 분명한 것은 그 누구에게도 해악을 끼치는 일 없이 애당초 인류의 운명에 약속된 생명의 친밀감과 영속성은 능히 지켜낼 수 있는 것이다. 그리하여 어느 먼 훗날 바람이 되건, 물이 되건, 땅이 되건 완전한 자연으로 귀속될 때 살아생전 참으로 진정한 대화를 나누며 살았으리라 여겨지지 않겠는가! ♣

우리들이 사랑하는 숲

연두색 신록을 따라 걸은 지 얼마 되지 않은 것 같은데, 어느 새 무성한 녹음의 숲이 전개된다. 그런가 하면 무성한 녹음의 그늘 아래서 더위를 식힌 지 얼마 되지 않은 것 같은데, 노랗고 붉은 잎들의 전성기가 펼쳐진다. 그리고 이것도 잠시, 숲은 이내 축제 후의 텅 빈 광장처럼 허허롭게 된다. 얼핏 생각하면 간단한 계절의 운행과 단조로운 생명의 변천이 순식간 숲을 스쳐 가는 것처럼 여겨진다. 이런 느낌만을 갖는다면, 숲은 정말로 간단하고도 단조로운 동작과 대사만을 연기한 채 영상 속에서 사라져 버리는 무명의 연기자와 같게 된다. 그러나 숲은 일정의 대가나 유명배우의 영예를 얻기 위해 움직이는 무명배우의 삶과 다소 다른 계시를 얻고 있다. 숲의 삶은 목적과 목표를 두지 않는 자연 본연의 것이다. 잎들로 가득 찬 여름 나무이건, 앙상한 가지만의 겨울나무이건, 심지어 고목까지 그 고유한 존재인 것이다.

그러나 숲은 유기체로서 변형과 생사의 애환을 지닌다. 자연계의 거대한 변동도 요인이 되겠지만, 현상적으로 인간의 삶의 침투로 인해 생기는 일이다.

나는 가끔씩 산정에 올라 널따란 골짜기의 자태를 내려다본다. 골짜기는 으레 전답의 농토들과 각양각색의 건축물들이 채워져 있지만, 그 모습을 지우고 태고의 지평을 떠올린다. 보이는 것이라곤 숲. 숲만이 자연의 전유물인 듯 지평을 채우고 있다. 거기에는 어떤 사리사욕도 배어든 흔적이 없는 지순한 평화가 있으며, 영원히 파괴될 수 없는 지고한 평화가 있다. 물론 숲 속 여기저기에는 양육강식의 살벌한 암투가 지옥처럼 펼쳐질지라도 그것은 전혀 기억되지 않는 순간순간의 장면들일 뿐, 숲의 거대한 평화는 영원히 고정불변한 것처럼 여겨진다. 태고로 회귀하여 바라본 숲은 틀림없이 그런 자태를 갖는다.

그 평화의 숲은 근대에 이르러 노숙자 신세처럼 처량하고, 중증의 환자처럼 위태로워졌다. 국가마다 지역마다 형편은 다소 다를지라도 인구수치가 높아져 가는 한, 전 세계 어느 지역에서나 악화되는 형편만이 예언될 수밖에 없다. 실제로 어제의 숲이 오늘의 집터와 농토로 변한 모습을 보는 것은 일상다반사가 되었다. 나는 숲의 몰락에 대한 예언이 낭설이 되기를 간절히 바란다. 그러나 사실 숲의 번성에 대한 믿음과 희망은 마음속에 언제나 상주하고 있다.

산소를 거부하는 자는 없다. 산소는 곧 생명이니까 말이다. 산소로 인해 죽어야만 하는 혐기성 생물들이 애처롭기는 하지만, 우리들 인간에게 산소는 절대적 은총이다. 그렇다면 이 거대한 지상의 대기에 채워져 수없는 인구의 허파를 왕성케 하는 산소는 어디에서 나오는가? 산소는 바다 속이건 육지건 광합성을 하는 식물의 숲에서 거의 대부분 나온다. 이렇듯 숲이 아니면 얻을 수 없는 이 위대한 공기를 시시각각 자각하고 있는 사람은 드물다. 인간의 문제는 이것이기도 하다. 오감으로 지각할 수 없는 것들에 대해, 감정이 동요되지 않는 것들에 대해, 또는 꿈과 욕망이 요구하는 실리 외에의 것들에 대해 무관심하다는 것! 그러기에 숲으로부터 나오는 산소가 절대적인 생명의 원천임을 모르는 것도 아니면서 마냥 잊고 산다. 아마도 국가의 산림보호정책이나 환경론자들이 없다면, 홍보가 없다면, 숲의 숭고한 가치는 이대로 영영 잊히고 말 지경이다. 이런 결과는 의식적으로나 무의식적으로나 숲에 대한 방종을 불러일으키고 서슴없는 파괴를 자행하는 태도를 낳게 된다. 이 태도는 지구 산소의 20%를 공급한다는 아마존에서 실제로 나타난다. 건강한 청년의 열정의 호흡을 내뱉던 아마존은 이제 인간의 파괴적 바이러스에 전염되어 피폐한 몰골로 가냘픈 숨만을 들이쉬고 있는 시한부 생명이 되고 말았다. 그리고 우리는 그 아픔을 알면서도 다른 바쁜 일이 있는 척 피해가고 스쳐가 버리고 있다. 그러면서도 또 개개인적으로 지각 있는 양심은 은근히 작용한다.

우리들 인간은 생명이 위태로울 때면 제 살을 도려내서라도 살려고 애를 쓴다. 이 본능적인 생존력은 참으로 다행스러운 삶의 의지여서, 잃거나 잊었던 모든 것을 되살려 자각하고 사랑한다. 인간은 문제점을 많이 지니기도 했지만, 후회하거나 각성하거나 사랑하는 좋은 감정 또한 무한히 지니고 있기에 숲의 아픔을 아는 한 치유와 보호의 손길을 아낌없이 내어줄 것이다. 근간에 나는 그런 모습을 보기도 했다.

8월 피서철, 내 집 근처의 수려한 강산은 수많은 피서객을 불러온다. 밀물처럼 밀려들어온 피서객들이 계곡 가장자리의 숲 아래 형형색색으로 수놓아 진다. 그들을 불러 모은 숲은 당연한 듯 그들에게 휴식과 즐거움을 준다. 베푸는 마음과 즐기는 마음의 화평 때문일까? 온 산이 푸른 녹음이요, 청량하여 형형색색의 품새가 도무지 어울리지 않을 듯싶지만, 신기하게 이때만큼은 조화롭고 흐뭇하게 여겨진다. 부디 잘 쉬고 가기를 염원하는 사랑의 헌사도 주저됨이 없다. 그리고 두어 번 정도의 주말이 지나고 나면 피서객들은 썰물처럼 빠져나가고 숲만이 한편으로는 쓸쓸하게, 한편으로는 청량함 그대로 오롯이 남아 있다. 쓸쓸함과 청량함의 두 감정이 느껴지는 까닭은 무엇일까? 수많은 인파의 왕래에도 불구하고 그들이 잠시 쉬었던 자리 자리마다 청결하게 치워져 긴장과 짜증을 주는 어떤 흔적도 찾아볼 수 없기 때문이다. 별의별 도시의 용품을 늘어놓고 만사태평의 피서를 즐긴 후 숲의 자리를 그대로 유지시켜 주고 떠나간 사람들. 숲은 이미 그들의 마음에 사랑이요, 생명이 되어있음이 여실했다. 이는 비교 대상이 없는 독자적인 판결이 아니라 한 해 한 해를 보아온 비교의 판결이다. 삶에서 잠시 잊고 있을지라도 오늘날 우리들은 틀림없이 숲을 이해하고 존중하고 있다. 8월의 숲이 여전히 번성하여 우리들 인간과 화평한 것도 그때문인 것이다.

8월을 보람차게 보낸 숲은 9월에 젖어든다. 싸늘한 공기에 젖어든 9월의 숲은 하나 둘 툭툭 잎사귀를 떨어뜨리기 시작하며 한 해의 자화상을 분주히 마무리해 간다. 자화상은 대지의 양분, 튼튼한 뿌리, 완전한 씨앗으로 환전될 것이다. 이런 모습을 또 기뻐하자. 성실한 노동자의 땀방울 같은 9월의 숲을 기뻐하자. ♣

사라진 마을의 감나무

포근한 저녁의 나뭇잎처럼 살랑살랑 움직였을 마을이었으리라 짐작된다. 하느작하느작 삶의 보따리를 이거나 지고 다니던 길이라 짐작된다. 그러나 마을은 사라졌고, 길은 온갖 덤불로 가로막혀 있다. 오랜 세월의 변화는 자연과 곧바로 화평을 맺고 인적을 지워내 버렸다. 채 지우지 못한 몇몇 굳센 흔적만이 남아 인생의 무상함을 알리고 있는데, 그중에 더욱 굳센 것이 감나무 몇 그루다. 그 밖의 모든 것은 적막이란 적막은 죄다 그러모은 채 가을날 정오의 햇살에 쓸쓸히 잠겨 있다.

여기서는 이미 오래전부터 그러하여 왔고, 앞으로도 영원히 그 어떤 일도 일어나지 않을 것 같은 기운이 충만하여, 나는 지레 체념한 듯 망연히 앉아있다. 그리고 무심코 던져진 안구를 통하여 대여섯 그루의 감나무들을 바라보고 있다.

그 중 유난히 길게 뻗쳐 나온 한 가지는, 마치 이 세상이 갑자기 사라질 찰나에 있고, 그것에 놀란 군중이 하늘에서 내린 동아줄을 타고 오르려고 서로 아귀다툼하듯이 매달려 있는 형국이다. 그러다 보니 한껏 늘어진 채 내 머리 위에 놓여 있는데, 그저 자기만 살아나려고 발버둥치는 인간의 태도가 절로 생각날 수밖에 없다. 그 때문에 동아줄을 내린 뒤 예상 밖의 상황에 시큰둥해진 신처럼 나 역시도 흥미를 잃고 만다.

하지만, 맨 먼저 햇살을 모은 채 더욱 붉게 반짝이는 아스라한 꼭대기의 감들에게 흥미를 느끼며, 새삼 저들에 이 옛 마을이 어떻게 사라졌는지 어디 한번 이야기라도 들어 볼까 하고, 넋으로 빠져드는 정신을 애써 붙잡아 놓고 있다.

도대체 어떻게 사라졌을까? 한 집 두 집 차례로 사라졌을까, 아니면 모두 함께 사라졌을까? 언제였지? 비 오고 바람 부는 날은 아니었으리라! 눈 덮인 겨울도 아니었겠지만, 잎들 무성한 여름도 아니었으리라! 산비탈에 새파라니 싹이 돋는 봄은 아무래도 희망을 돋우는 법이니, 좀 더 견뎌보자고 힘 있게 산비탈을 일구었으리라! 봄도 아니라면, 결국 가을이었던가? 저 탐스런 감들을 두고?

아아, 나는 정말로 어리석군! 저쪽 집터는 그냥 집터라는 느낌 외에 모든 흔적이 사라졌고, 또 저쪽 집터는 돌담 귀퉁이가 조금 남아 있지 않은가. 그리고 이쪽 개울가의 집터는 비록 다 무너져 내렸지만,

그래도 툇마루의 흔적을 느끼게 하는 자국과 불에 타 그슬린 아궁이 흔적까지 남아있으니, 모두 제각기 저마다 세월과 계절을 달리하여 떠난 모양이 아닌가! 그리하여 제일 먼저 사라진 저 집은 이웃과의 결별이 차마 가슴 아파 달 밝은 가을밤 몰래 떠났을지도 모르고, 또 다른 저 집은 하얀 첫눈 위에 정의 씨앗인 양 여겨지는 눈물을 떨어뜨리며 떠났을 수도 있고, 마지막 남은 집은 갈 곳 없는 늙은 노부부가 살고 있어서, 한해 두 해 외로운 등불을 비추다가 어느 날 홀연히 등불을 꺼 버렸을지도 모르지 않은가!

나의 낙서 같은 공상을 감나무가 쿡쿡 웃겠지. 그러다가 제 스스로 회상에 젖어, 아무도 관심 두지 않는 제 신세에 붉은 눈물을 뚝뚝 떨어뜨리기도 하겠지. 그리고는 마침내 저도 나에게 화평을 청하지 않고서는 견뎌내지 못하겠지.

나무에도 무엇인가를 얻은 기쁨과 잃은 슬픔은 있을 것이라 여긴다. 또한, 언제나 인가와 더불어 사는 감나무는 더더욱 그럴 것이라 믿는다. 인정을 느끼고, 전통을 느끼고, 어떤 때는 모정을 느끼는 까닭이다. 하지만, 도시에 가면 그 생각은 산산이 부서져 버리고 만다. 모든 근본을 변화시키는 문명의 산업화로부터 그 비극은 시작된다.

현대는 산골마을일지라도 감나무 없는 마을 떠올리기가 그리 어렵지 않다. 문화 마을이니, 전원 마을이니, 숱한 댐들과 숱한 개발에 밀려 새로이 조성된 마을들이 무수히 생겨나고 보면, 오랜 전통과 같은 감나무의 땅은 이미 사라졌다 해도 과언이 아니다. 집들의 마당은 한

곁같이 민들레조차도 자라기 어려운 시멘트로 뒤덮이고, 그래도 마음 한쪽 어딘가에 자연의 향기를 담당하는 부서가 있어, 그 부서의 책임으로 말미암아 어떻게든 구석진 곳에라도 흙을 돋우어 한 그루의 나무라도 심으려고 애를 쓰지만, 그 나무들 사이에 감나무 묘목이 들어 있으리라는 생각은 엄두조차도 낼 수가 없다. 한 해 내내 지속할 시멘트의 딱딱한 질감을 상쇄시키고자 그야말로 늘 푸르기만 한, 소나무 · 향나무 · 동백나무 · 식나무 등의 상록성 나무들만 심기에 급급하고, 그리고서는 제 할 일을 마친 양 하루의 일기장에 이렇게 적을 뿐이다. 「푸른 정원을 갖추었으니, 집에 생기가 돈다.」

실제로 그렇기도 하겠지만, 삶이란 생기어 사라지는 것을 필연으로 삼고, 그 와중에 희로애락이 있어, 그로부터 비로소 살아가는 의미가 완성되지 않는가! 물론 늘 푸른 나무들 또한 삶 일부에 서서 나름대로 인간의 의지를 충족시키는 일을 담당한다. 그러나 나뭇잎이 돋고, 꽃이 피고, 열매가 맺힌 후 낙엽 지는 경과야말로 우리 삶에 더욱 올바른 질서와 진중한 역할을 던져주는 일이 아닌가! 그럴지라도 우리의 생각은 이미 기울어져 그 위치를 벗어나 있고, 결국 그 누군가 안타까워 눈물을 똑똑 자아낼지라도, 옛것은 이미 옛것이 되어버린 것이다.

도시 아이들은 감나무가 잘 꺾이는 줄 모르고, 도시 연인들은 감떨기를 실에 꿰어 서로 목에 걸 줄 모른다. 도시의 중년들은 물질적 탐욕의 환희에 흥분하고, 도시의 노년 부부만이 비로소 옛 회상에 겨워 애틋하게 감나무를 쓰다듬는다. 아무래도 현대의 감나무는 도시인들이 갖는 역사기행이나 문화답사 일부가 되어 어떻게든 제 몫을 감당해야겠지만, 젊은 안내자의 빈약한 설명에 그마저도 제대로 감당해내지 못할 것은 뻔 한 일이다. 차라리 박물관의 유물들처럼 누가 뭐래던 저 홀로 묵묵히 눈을 감고 있는 편이 훨씬 낳으리라!

지금의 감나무는 결국 옛 시절의 향수일 수밖에 없다. 그러면서도, 한편으로는 여전히 우리 고향 일부이며, 지표이다. 먼 기슭의 숲 위로 등불 행렬이 운집한 듯 붉은 점들이 무수하면, 잠자코 그곳을 향해 가보라. 고요한 옛 시골마을을 접한 정다운 보람을 느끼게 될 것이다. 물론 시름없이 걷는 나그네의 저녁 길엔, 조난당한 선원이 흥분과 감격으로 소리치는 등대불빛임은 말할 나위가 없다.

그러나 지금 이 순간, 이 사라져버린 마을에서의 감나무는, 저의 성장 아래 끊임없이 움직이던 사람들을 다 잃은 처지에, 그 무엇을 내세워 기운을 차리겠는가! 저 홀로 이런저런 한 해의 경과를 겪어오는 동안, 오히려 태초의 천성으로 돌아가 더욱더 풍성한 자연미를 발산하고, 또 가지마다 휘어질 듯 풍성한 결실을 맺고 있으나, 누가 뭐래도 감나무는 인맥의 정이 흘러야만 고유의 제멋을 누릴 수 있다. 그럼에도 모든 것이 사라져 버린 이 폐허의 마을에서 누구 하나 손대는 사람이 없는 저들로서야, 아무래도 저들 홀로 지켜온 세월의 쓸쓸함을 감출 수 있는 바는 아닌 것 같다.

내게 하소연하듯이 무슨 말이라도 나누고 싶겠지만, 내 역시도 이제는 저들 열매 중의 붉고도 붉은 홍시에 오직 혀를 날름거리며, 어디에 긴 장대가 없나 하고 주위를 둘러볼 뿐이다. 그러다가 문득 경쟁자인 까치마저 없음을 느끼고, 그마저도 흥미를 잃는다.

마을은 사라졌고, 옛것은 이미 옛것이다. 그래도 이 서글픔은 웬일일까? 내 눈물이 채 떨어지기도 전에 저 쪽 어디선가 붉은 눈물이 툭 떨어진다. ♣

단풍숲 속의 이야기

깊은 숲에 바람이 분다. 우수수 낙엽이 떨어진다. 어깨에도 낙엽이 떨어진다. 나는 인생을 제대로 산 것이 아니다. 또 한 해를 절망처럼 잃어버리는 사람이다. 어깨에 떨어지는 낙엽에 천근만근의 무게를 느낀다.

그러나 낙엽은 무겁고, 낙엽은 아름답다. 계속 걸어 짓눌린 마음을 털고 나면, 붉고 노란 아름다운 빛이 사랑의 꿈으로 반짝인다. 향기 있는 여인과 같이 있다면 좋겠다는 생각이 문득 든다. 아무도 말리지 못할 연모의 감정. 자연의 시간은 사랑이다. 아니, 그 시간 속의 변화가 사랑이다. 토박토박 발자국을 남기는 겨울의 설경도 사랑이고, 한들한들 봄꽃 핀 들판도 사랑이다. 불타는 단풍숲은 더욱 열렬한 사랑이다.

가을 숲 속. 붉다 못해 자줏빛이 감도는 단풍잎을 스쳐 지날 때도, 떨어진 노란 생강나무 잎을 밟을 때도 어김없이 사랑이 싹튼다. 간절하리만치 무어라고 말하고 싶어진다. 단풍진 잎과 이미 떨어진 낙엽의 이야기를 연인에게.

기어코 말하고, 이 말들은 단풍든 숲길을 따라 오랜 이야기로 이어진다. 이야기는 순조롭다. 나는 사랑을 모르는 사람이 아니다. 온몸을 불사르며 겪은 사랑의 역사가 있다. 물론 이 단풍 숲에서는 진흙같이 무거운 역사적 사랑이란 필요 없다. 그저 그렇고 그런 사랑. 순정에서 욕정까지, 그리고 책임과 의무, 각오, 미래의 향방까지 생각나면 나는 대로 포옹하고, 고백하고, 맹세하다가는 또 슬쩍 이별하기도 한다.

힘든 것은 도무지 없다. 그러면서도 더없이 감미롭다. 이런 사랑은 자유의 산들바람이다. 나뭇가지 사이를 스치는가 싶으면 잎사귀에 머물고, 잎사귀에 머무는가 싶으면 어느 새 저쪽 나뭇잎을 쓰다듬는다. 끝끝내는 왔다간 흔적도 없다. 때문에 사랑의 감미로움을 겪으면서도 기다림에 가슴 죄는 일도 없고, 그리움에 가슴 아플 일도 없다. 이래서 단풍 숲속의 사랑은 그리워도 외롭지 않은 사랑이며, 외로워도 그립지 않은 사랑이다.

나는 이 가을 숲 속의 여행가로 온 것이 아니다. 사랑이 있는 거리라곤 더더욱 생각 못 할 일이다. 그러나 숲에는 노랗고 붉은 천연의 축제가 있고, 세상의 환희가 죄다 살아나고 있다. 정열이자 진실의 축제. 내가 떠나온 목적이 무엇이건, 집시의 노래도 당연하고, 불붙는 사랑도 당연하다.

죽어가는 잎, 떨어지는 잎이라며 저무는 한 해의 슬픈 회환으로 돌아서는 모습이 있기도 하겠지만, 정념에 달구어진 마음은 자꾸만 감미로움을 찾는다. 사람은 이런 한 때로 인하여 삶의 혼돈을 정리하고, 사랑도 더욱 다정해 진다.

약초 캐는 호미 대신 사진기가 들린 지 오래. 이따금 숨결마저 멈춘 채 한 잎의 붉은 단풍잎 앞에 서서 예술의 혼에 수작을 걸어본다. 지난날의 모든 사진들처럼 무의미하게 버려질 것이라는 것을 알면서도, 지금 이 한 때 만큼은 주옥같은 올바른 색과 지조 같은 올바른 관심의 교접이 땅 밑의 용암처럼 들끓는다.

정열, 욕정, 몽환적인 연정도 잠시 사라진다. 이제는 꽃다운 여인이 다가와도 "이리로 오지 마세요!"하고 큰 소리 칠 생각이다. 여인은 나를 속일 수 있어도 단풍잎들은 나를 속이지 않는다. 우리의 진실한 맹세는 태초의 것이다. 물론 그 혼을 나타낼 수는 없다. 렌즈 속에 옮겨지는 단풍과의 교접은 황홀함과 아름다움에 대한 매혹일 뿐이며, 단지 그것만을 나타낼 수 있을 뿐이다.

황홀함과 아름다움만을 말한다면, 꽃다운 여인 또한 다를 바 없다. 그러나 여인의 내밀한 마음은 다소 짜증스러운 불량기를 담고 있거나, 언제든지 상심할 수 있는 변덕스러움을 지니고 있다. 자연적인, 천연적인, 순리적인 단풍잎과 견줄 수 없다. 물론 한 잎의 단풍잎과 멀어지면 그런 생각은 또 달라진다. 함빡 웃는 여인이 있었으면 좋겠다는 생각을 여전히 한다. 함빡 웃는 여인과 화려한 배경은 절대로 서로를 놓치는 법이 없다.

사진작가의 눈과 기교를 지니고 있지 않은 내가 시도 하는 예술의 혼은 객기다. 그러나 이 객기는 어떤 것도 주지되지 않은 유아기의 본능과 같다. 부끄러워 할 수도, 나무랄 수도 없다. 순간에 충실한 행위가 반드시 위대한 결과로 충만해 지는 것은 아니다. 하지만, 최소한 정직과 희열 속에서 얻어질 기대감만은 얻을 수가 있다. 이 순간 그것은 충분히 성공을 거두고 있다.

그동안 오늘 하루의 목적이었던 약초의 숲은 사라졌다. 단풍 숲만이 살아있고, 거기서 피어나는 꿈의 이야기만 살아있다. 홀로 전해 듣는 단풍숲 속의 이야기. 연정이 밀려왔다 사라지면 예술의 혼이 있고, 예술이 혼이 밀려왔다 사라지면 낭만이 있다. 그리고 모든 것이 그칠 때가 온다.

단풍 숲에 해가 저문다. 나뭇가지 너머의 동쪽은 금빛 햇살이 한낮처럼 반짝이는데, 눈앞의 서쪽 숲은 깊은 밤처럼 어두운 빛이 서린다. 빛을 잃는 잎들의 행방을 따라 사랑도 혼도 사라진다. 깊어가는 가을만이 차가운 실루엣으로 번진다. 떠나가는 것들, 홀로 사는 삶, 맥없이 무너지고 있는 인생에 대한 사색을 갖는다.

그동안 그늘진 산길이 차가와 졌다. 더 이상 아무 이야기도 할 수가 없다. 꽃다운 여인의 향기를 갈구한 기억도 사라지고, 열렬히 찍은 단풍잎의 기억도 없다. 오직 서둘러 귀로에 오를 뿐. ♣

아기 새를 잃은 마음

화단 한곳의 수풀이 흔들렸다. 쥐려니 생각하고 무시했다. 그러나 시간이 지나고서도 그 수풀 자리가 계속 흔들리고 있었다. 비로소 궁금증이 일어났다. 쥐라면 잡을까 라고도 생각하여 살며시 다가가 낌새를 엿보았다. 무언가 파닥거리는 소리를 냈다. 쥐가 아니었다. 아주 작은 새였다. 당장에 막 이소를 한 새가 아닐까 하는 생각이 들었다. 그런 판단하게 이소 중인 상태의 새는 내버려두는 것임을 알고 있어 '힘내라'는 응원만 한 채 내버려두었다.

무엇을 만드느라 한참의 시간이 또 흘렀다. 휴식 틈에 문득 새가 생각이나 다시 수풀 쪽을 바라보았다. 그런데 여전히 수풀이 흔들렸다. 다만 흔들림이 미약해졌을 뿐이다. 날개가 어엿이 있었는데 저렇게 도통 날지를 못하나 싶었다. 다가가서 자세히 보았다. 영 기진맥진한 상태로 보였다. 너무 지쳤는지 손을 내밀어도 힘없이 파닥거리기만 했다. 그대로 쉽게 손아귀에 들어왔다. 새는 몸 천제가 팔딱거렸고 뜨거워서 이상하게 여겨질 정도였다.

무슨 새인지는 알지 못했다. 다만 회색 깃털이 다분하여 박새인가 싶었다. 어디서 왔을까, 집은 어디 있지, 왜 이렇게 되었을까? 때마침 생각난 곳이 있었다. 담장 곁에 작은 조팝나무 숲이 있다. 몇 년 전 몇 그루의 작은 조팝나무를 심어 놓았더니, 어느 새 왕성하게 번식하여 작은 숲을 이루고 있는 곳이다. 바로 그곳에 작은 새집 하나가 있는 것을 알고 있다. 이른 봄, 가지 전지를 하다가 발견을 했지만 이미 한 세대가 살고 간 버려진 빈 집이었고, 잊고 있었다. 혹시 그곳을 다른 새가 둥지로 삼았지 않았나 싶었다. 만약 맞는다면 어미 새와의 만남은 보다 확실해 질 것만 같았다. 그리고 어미 새의 보호에 온전히 자라 자연의 이치에 동조할 것이다. 하지만, 기대는 어긋났다. 그곳은 허물어져 가는 폐가였고, 어떤 생체의 느낌도 없었다. 결국 갈등이 생겼다. 어쩌지? 이대로 두어야 하나? 문제는 들고양이가 시도 때도 없이 드나든다는 점이다. 도저히 그대로 둘 수는 없었다. 새는 결국 내 보호행동 속에 들어오고 말았다.

손재간이 조금 있는 터라, 제법 훌륭한 새장을 만들었다. 둥지는 비어있던 조팝나무 숲의 둥지를 떼어 아늑하게 손질한 후 넣었다. 새장 바닥엔 자잘한 모래를 깔아 땅의 질감도 살리고, 앉을 곳이 없을 세라 맵시 좋은 나뭇가지까지 설치해주었다. 작은 그릇에 물을 담아 넣어 옹달샘 역할도 하게 했다. 그리고 조팝나무 곁의 전망이 좋은 불두화 나뭇가지 사이에 새장을 놓았다. 하지만, 정작 중요한 것은 그것이 아니라는 것을 뒤늦게 깨달았다.

새는 유아였고, 그런 유아에게 필요한 것은 훌륭한 새장이 아니라 오로지 모정의 품이었다. 홀로 된 것도 그렇고, 낯선 거대한 동물쯤으로 여겨질 나의 손아귀를 거치는 것도 그렇고, 철망에 갇힌 것도 그렇고, 그 모든 것이 공포였을 터! 오직 엄마 새만을 찾아 몸으로 울었다. 그리고 지친 듯 눈을 감고 팔딱이기만 하다가, 무언가 생각난 듯 또 다시 파닥거렸다. 그 일이 반복되면 될수록 새의 움직임은 가냘퍼졌다. 자꾸만 눈꺼풀이 내려앉고 있었다.

도무지 먹지도 않았다. 지렁이를 잡아 입에 대 주어도 아니 되고, 밥풀을 입에 대 주어도 아니 되고, 가까운 상점으로 달려가 우유를 사서 넣어주어도 안되었다. '제발!'이라는 소리가 절로 나왔다. 차라리 어미 새였으면 했다. 감정이 더 풍부했을 테고, 금방 내 마음을 알아주리라 여길 수 있었기 때문이다. 그러나 현실 속의 새는 너무 작은 아기 새였다. 이 아기를 어떻게 달래야 하나? 짐작조차도 못했다.

보이지 않으면 나을까 싶어 두어 시간 자리를 비웠다. 그러나 역시 마찬가지였다. 적응의 변화는 전혀 나타나지 않았다. 오히려 완전히 탈진한 듯 새장 구석에 힘없이 기대 있었다. 참으로 난감했다. 이 작은 생명에 대하여 매우 올바른 행동을 갖고 싶으나, 불가항력에 가깝도록 방관할 수밖에 없으니 참으로 답답한 노릇이었다. 급기야는 오직 염원하고 기도하는 마음이 전부가 되어버리고 말았다.

그래서는 안 될 일이었다. 아기 새의 위태로운 생명에 진정한 근심이 있었다면 계속해서 어떤 방법을 찾았어야 할 일이었다. 인터넷을 구석구석이라도 뒤적여 희망의 실마리를 찾아봤어야 했고, 동물보호센터나 조류학자에게 전화라도 걸어 도움을 받을 정보를 얻도록 노력했어야 했다. 그런 행동 없이 지레 발만 구르고 체념에 든 태도는 야비할 정도로 나약한 인간의 표본이었다. 나중에 느끼고 후회할 수밖에 없는.

계속 지켜보기도 지쳐 스스로의 삶의 노력만을 기대한 채 밤이 되도록 쳐다보지도 않았다. 그러다가 자정 무렵에 새를 다시 한 번 살펴보았다. 플래시 불빛 속에 드러난 새는 다행히 심장을 두근거리고 있었다. 안도의 한숨이 나왔고, 기쁜 마음이 되어 새를 살짝 쓰다듬었다. 순간 파드득 날갯짓을 했다. 역동적인 생명감! '아! 미안, 미안! 잘 자고, 내일 우리 다시 시작해보자. 기운차게 말이야!'

그러나 다음 날 아침. 우리는 다시 시작할 수 없었다.

어린 때에 아무런 보살핌을 받지 못한 채 죽어가는 것들, 그것은 신과 자연의 질서가 갖는 운명이 아니다. 그들로부터 이미 조각되어 떨어져 나온 삶의 이해성이다. 그래서 우리가 절대 방관해서는 안 될 일이며, 우리가 가장 비감해야 할 일이다.

그 일은 나 자신에 대한 절망스러운 조롱이 되었다. 사랑! 그에 대한 적극적인 노력이 없는 나태함과 방임, 본질을 꿰뚫지 못한 엉뚱한 배려를 하면서도 사랑을 실천한다는 자만, 비이성적인 무지, 가치를 저울질하는 이기적인 태도, 결코 내려 받을 수 없는 은혜에 매달리는 망상. 아기 새의 죽음은 진정한 사랑이 없는 나의 그 무책임하고 나약한 태도들로부터 발생한 가련한 제물일 뿐이다. 이는 어쩌면 우리들 대부분이 갖는 죄악의 표본이리라! ♣

겨울철에 핀 패랭이꽃

굽이굽이 덜컹덜컹 대는 산길이다. 속도가 빠를 수가 없고, 속도를 낼 마음도 없다. 내게 있어 산길은 늘 태평이다. 쉴 곳 다 쉬고 볼 것 다 보며 가는 곳이 산길이다. 이처럼 느릿한 행보로 인해 길가의 어떤 것도 놓치는 것이 없다. 미학의 소산물인 산꽃이라면 더욱 그런데다가 생각 외의 전개라면 더더욱 그렇다.

가을마저 흘러가버린 11월. 많은 볼 것들도 흘러가버렸다. 이 무렵의 산길은 시각의 전당이 아니라 감성의 전당이다. 생기 있는 물상의 축제가 펼쳐지는 공간이 아니라 잠든 혼들의 깊은 꿈을 읽는 공간이다. 그런데 차를 세울 정도로 반짝 시각이 살아나는 생각 밖의 일이 생긴다.

패랭이꽃이다! 절개지 벼랑 틈 옴폭 패인 곳에 피어있는 전혀 생각 밖의 꽃이다. 단숨에 그 이름이 튀어나올 정도로 선명하게 눈에 든다. 아니, 눈이 마주친다. 메마른 이 산야의 어떤 형색으로 보나 겨울이 온 셈인데 여름의 무희인 패랭이꽃이라니. 나는 걱정스러운데 저는 생글생글 눈웃음 짓는 모습이다. 어이가 없어 풀썩 웃음이 터진다. 구중궁궐 아기씨인지 참 세상 물정을 모르는 것 같다.

백치 같은 순한 자태로 간밤에 추위는 또 어떻게 견뎌 냈을까? 궁금하기까지 하다. 그러나 궁금증에 대한 대답은 이미 눈앞에 있다. 붉은 볼 곱게 하고 생글생글 웃고 있는 모습이 그 대답이다. 걱정이 무색하고 늦게 핀 사연을 묻는 것도 실없다.

사실 이상한 일이라는 생각은 처음부터 없었다. 언제부터인지 가을 개나리꽃 흔하게 보이고 가을 진달래꽃 흔하게 보인다. 도시인의 눈으로서는 정말 낯설어 신기한 모습일 수도 있겠다. 하지만, 산꾼인 나의 눈으로서는 정말 흔하게 보는 낯익은 모습이다. 이런 사정엔 한숨 쉴 수밖에 없는 이상 기후, 생태교란 등의 자연 변화가 안개처럼 스며들어 있다.

그러나 그런 속에서도 생의 본능, 종의 보존, 이런 위대한 숙명이 숨 쉬지 않은 순간은 없다. 별들의 운행과 심해의 대해류, 생물과 미생물의 미술적 분자구조, 무궁한 꿈, 빛, 음향, 색채, 향기…. 이 모든 존재들의 영원한 흐름 속에서 때맞추어 진 패랭이꽃이나, 때늦게 핀 패랭이꽃의 내력은 다 같이 소중할 뿐이다.

존재하는 것은 존재하는 순간까지 우주적 조화이다. 제때를 맞추어 피고 지는 꽃들이나, 때 아닌 철에 피고 지는 꽃들이나 모두 자연의 신성한 생태이자 서정인 것. 그리하여 우리의 욕망이 뒤죽박죽되거나 별들의 운행이 뒤죽박죽되는 파탄이 있기까지는 거기에 우리의 미래가 있고, 거기에 우리의 생명력이 있다.

겨울철에 핀 패랭이꽃. 분명 희소한 만남이다. 만약 계속하여 사연을 묻는 상상을 자극하면 소설이 나오고, 시가 나오고, 동화가 나오는 잉태와 창작의 초상화이다. 그러나 나는 이미 현실에 순응하는 생각을 했기 때문에 더 이상 생각을 덧칠하지 않는다. 다만 따뜻한 사랑의 눈웃음을 주며 이렇게 읊조린다.

'그래, 필만 하니 핀 게지.' ♣

4부

야생화와 삶의 관계에 대한 서

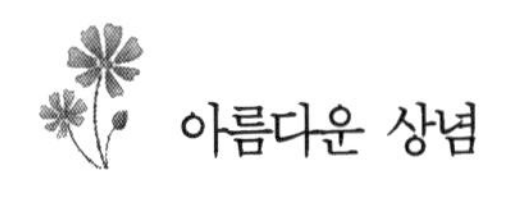

아름다운 상념

길가의 「청사초」 무리가 화사하다. 녹색을 벗고 입은 노르스름한 색도 자연에서 일어난 풍파를 겪고 바래서 흰빛에 가깝다. 다만 그럴 뿐 몸 상한 기척은 없다. 애당초 자란대로 굳센 줄기들이 여전히 기세가 좋은 것이다. 그 줄기에 봄 햇살 내려앉지 푸른 생기보다도 오히려 더욱 윤택한 삶을 나타낸다.

그 경지는 심연의 모정이며, 화평의 인정이리라 생각된다. 이미 죽은 잎을 버리지 않고 움막을 지어 혹한으로부터 제 뿌리를 지켜내는 지혜가 왜 달리 필요했겠는가. 다시금 잉태하는 생명을 어김없이 움트게 하려는 그 의지를 깊고 깊은 모정에서밖에 달리 찾을 수 있겠는가.

잎들은 주변의 다른 식물에도 보다 아늑한 둥지가 되어 이웃집 인정을 그대로 대변한다. 아니나 다를까 그 인정으로 청사초는 저보다 오히려 더욱 빠르게 「광대나물」꽃과 노란 「꽃다지」꽃을 제 몸 사이에 피워놓고 있는데, 어찌 평화의 공존이 아니며 자연의 기쁨이 아니랴!

그러나 내륙 산간인 이곳의 봄은 매우 늦어, 저 광대나물이나 꽃다지만을 겨우 볼 수 있을 정도이다. 물론 무엇인지 모를 조그만 새싹들이 양지바른 작은 골을 즐겨 모양을 내고는 있으나, 그도 극히 소수여서 이곳 사람들의 눈에는 여전히 겨울의 색채만이 아롱져 좀처럼 그들을 눈여겨보는 기색이 없다.

그렇다면 여전히 겨울인 이 내륙의 산언저리에서 애써 꽃들을 발견하는 나는 부지런한 사람일 수도 있고, 이미 봄이 찾아와 모든 것들이 제 생기를 찾았음이 틀림없는 저 먼 남쪽의 해안가에 서면 나는 무척 느림보일 수도 있다.

실제로 내가 두꺼운 외투 속에서 영원히 끝날 것 같지 않은 냉풍을 물리치려고 애를 쓰고 있을 때, 먼 산맥의 눈 속에서는 노란 「복수초」꽃, 하늘하늘 「바람꽃」, 고아한 「노루귀」꽃이 피어 우리 인간의 생명이 얼마나 나약하고 오감이 얼마나 무딘가를 가르쳐 주기도 하는데, 이때는 자연의 신의에 대한 각성만이 좋은 묘약이 된다.

때로는 제 계절을 벗어나 피는 꽃들이 있건대, 그러한 예외는 오히려 신비감이 될 뿐이니 행여 멍청한 녀석이라고 놀릴 일은 아니다. 어쩌면 산허리를 무자비하게 깎아내리는 우리가 더욱 멍청한지도 모른다. 하지만, 괜찮다. 가끔 삽질도 제대로 못하는 멍청한 재능이 영악한 일상의 우울함보다야 훨씬 낫지 않겠는가.

제 재능을 발휘 못 하거나 제 의식을 갖추지 못한 것을 멍청하다고 이를 때, 역시 제 의식을 갖추지 못한 미친 오필리아의 머리에 꽂힌 꽃은 그 아름다움이 처절할 수밖에 없다. 하지만, 그 꽃이 없다면 오필리아의 심적 상태는 외면 그대로의 광자에 불과하리라. 그러나 그 꽃이 오필리아의 머릿결에서 휘날리고, 이윽고 물결 위에서 떠가는 모습은 오필리아의 의식의 전체성을 그대로 반영하는 것이 아니겠는가. 어떤 꽃이었는지는 모르겠으나, 상상한다면 그 꽃은 현실의 탈피를 대변하는 자유의 꽃이며, 순백한 내면의 심정을 표현하는 상념의 꽃임이 분명하다.

자연의 꽃들을 바라보면, 사실상 어느 꽃에도 자유와 상념을 갖지 않은 꽃이 없다. 어쩌면 당연한 일이겠지만, 나는 숱한 자연 생활에도 자연의 꽃과 교감 된 적이 없다. 아니, 그것은 영구히 불가능한 일이라 여겨진다. 물론 인간 중에서 지각력이 유난히 뛰어난 자들이 있건대, 그들은 정령론자의 믿음처럼 자연의 꽃과 틀림없이 교감할 수 있다고 스스로 믿는다. 그리하여 신화 같은 온갖 이야기를 풀어내는 데 교만으로 여길 필요는 없다. 오히려 듣는 이의 감정에 서정의 풍미를 더하는 즐거움으로 여기는 편이 옳지 않겠는가.

그러나 그것은 역시 실제 상황일 수는 없다. 부드럽게 조율된 마음의 노래일 뿐이다. 그들의 교감은 자연에 대한 애정을 지님으로써 나타날 수 있는 자신의 온유함을 대변하려는 방편이며, 애당초 있는 그러한 천성을 나타내는 것일 뿐이다. 설령 그러한 꾸밈이 명백할지라도 도대체 우리에게 해가 되는 일이 무엇인가? 자연의 마력이 주는 축복이 그들의 어깨 위에 내려앉아 있는 한 단연코 해가 되는 일은 없다. 그들이 자연의 구름다리를 건너가는 모습은 거의 모든 자에게 동화처럼 순수하게 보일 뿐이다.

그리하여 인위적이건 작위적이건 그들의 상념은 우리 모두에게 있어서 예나 제나 기쁨이 충만한 길몽을 제공한다. 그들의 상념으로 우리에게 전해주는 이야기는 우리가 기꺼이 소화해 낼 수 있는 아름다운 꿈과 즐거움이다.

「물봉선화」를 보고 꼬마 요정의 고깔모자라고 말하지 않는다면 물봉선화의 매력을 어디서 찾을 것인가. 「돌쩌귀꽃」이나 「투구꽃」, 「지리바꽃」 같은 무리를 보고 용맹한 용사의 기상을 말하지 않는다면 그 꽃들은 살아도 죽은 주검의 무리에 지나지 않으리라. 「섬백리향」이나 「꽃향유」, 또는 「치자꽃」 향기에 먼 나라의 소식을 듣는 기쁨과 아울러 그리움을 짓는 아련함이 없다면 나는 영영 헤어 나올 수 없는 사막의 방랑자와 같으리라. 손을 잡은 봄날의 연인에게 장난스러운 악의로 「자주 쓴풀」이나 「용담」을 씹어 보게 하라. 아마도 그 벌로 지옥같이 쓴맛에 발을 동동 구르는 연인의 입술을 달콤한 당신의 입술로 진종일 핥아 주어야 하리라! 그리고 「등대풀」 핀 해안가에서 친분 있는 누군가의 무사귀환을 기원하지 않는다면 배는 영원히 닻을 내리지 못하리라! — 이때는 「닻꽃」을 던져 줄 수도 있다.

이 모든 것은 아름다운 상념으로 나타난 물상이며 생기이니, 야생화를 바라볼 때 우리는 비로소 수줍어 눈을 반쯤 감은 듯한 노란 「괭이눈」의 안구로 제 몸을 다하게 된다. 그리고 교감의 환상적인 꿈을 빌어 자유와 상념의 날개를 파란 창공과 푸른 초원 사이에 맡기는 법. 옛날에도 그랬던 것처럼 오늘도 우리들의 입술에서는 끝없는 야생화의 신화가 잉태된다.

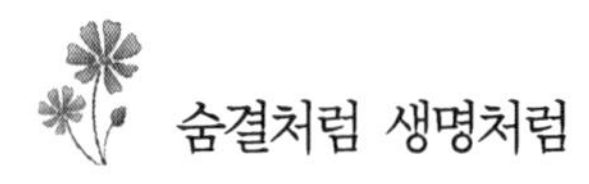

숨결처럼 생명처럼

「유채꽃」이나 「메밀꽃」, 또는 「자운영꽃」밭에 사진을 찍는 자는 천진난만한 아이의 순백한 영혼이 되어 그 즐거움이 별 무리 진 은하수처럼 환하다. 그리고 그는 그토록 많은 노력에도 쉬 얻을 수 없는 삶의 순수한 영광을 순식간 얻는 자이다. 우리들의 영광은 깊은 지식인가, 부유한 재산인가, 높다란 권좌인가? 몰입된 사상적 위치에서는 그도 인정되는 바이지만, 그러나 행복이란 본능적 위치에 서게 되면 그들은 어쩔 수 없이 베개를 찾는 심한 두통거리일 뿐이다. 이럴 때 필요한 것은 역시 신선한 호흡이다. 아니, 인간이 꽃에 호흡을 청하는 것은 숙명이다.

당연히 식물의 호흡은 인간의 호흡이다. 우리들의 숨결 속에 식물의 숨결이 들락날락 거리는 것이 신기하지 않는가. 나는 어느 날 문득 내 속에 울창한 송림이 생겨나거나 저 고상한 「춘란꽃」이 만발하리라 여기는 바이다. 들락날락거리는 숨결 속에 송홧가루나 난의 포자가 없으리라는 것을 상상조차 할 수 없기 때문이다. 암의 질병에서 용감한 대항군쯤으로 불리는 상황버섯의 천금의 가치도 그 포자로 말미암아 무료 섭취를 하였음은 당연하다. 물론 독버섯의 유독성 포자도 흠뻑 호흡했을 테니, 약효의 가부는 덮어두는 편이 나을 것이다.

그러나 만일 당신이 실생활에 있어서 '착각'이 심한 편이라면 느타리버섯의 포자를 호흡한 것이 아닌가 하고 의심하라. 느타리버섯은 웅덩이를 호수로 만들 수 있는 환상의 마술사인데, 실제로 식용을 하는 느타리버섯이 그러한 마술을 부린다고 믿을 수 있겠는가. 물론 나는 그렇다. 독극물연구가 <루이스 레벤>의 말을 믿는다. 그리고 또 한편으로는 독기를 정제할 수 있는 우리의 기교 있는 재능도 즐거이 믿는다. 그러기에 느타리버섯은 오물오물 움직이는 내 입안에서 늘 그 특유한 육질을 뽐낸다.

독성으로서의 느타리버섯 이야기는 단지 착각에 대하여 어느 정도 웃어넘길 수 있는 위안의 매개체일 뿐이다. 자신에게 있어서 착각이라는 심각한 문제가 이런 이야기로써 더욱 부드러이 순화된다면, 그 자체가 인생의 묘약이 아니겠는가! 이렇게 인정해 준다면 싸리버섯과

설사에 대해서도 역시 유사한 논리로 이야기할 수 있으리라.

비극적인 참사의 운명으로 말미암아 호흡이 막히는 일이 없다면, 우리는 계속해서 식물의 호흡을 섭취할 수밖에 없게 된다. 그것을 인정이라도 하듯이 도시의 근교 여기저기에는 울창한 수림을 이용한 산림욕장이 나날이 늘어나고 있다. 그 때문에 일상의 매연에 찌든 당신이 좋은 주말을 기대하기에 제격이다. 울창한 수림 속에서 산책하고, 책을 읽고, 담소를 나누고, 홀연히 수면을 취하는 중에 펼쳐지는 잎과 꽃들의 무형의 축제는, 당신의 생명을 그 뿌리로부터 다시금 성장시키는 창조의 축제이다. 한 홉의 송림의 향기에 세포는 즐거워지게 마련이다. 대나무밭 속의 청량함은 어두운 정신을 환기시키기에 충분하다. 태고의 숨결이 흐르는 전나무 수림 속에서 현대의 악취를 느낀다면, 그는 독랄한 심성으로 철저히 무장되어 있거나 치명적인 심상의 상처를 입고 있음이 분명하다.

하지만, 그 사람도 자신의 어린 딸이 「봉선화」로 손톱을 물들이고, 「토끼꽃」으로 세상의 시계를 똑딱거리며, 「계관맨드라미」를 왕관처럼 머리에 얹을 때 자신의 인생을 숨기기에 급급하리라. 더더군다나 어린 딸이 「석류꽃」이나 「유홍초」처럼 얼굴을 붉히다가 「해바라기」처럼 활짝 웃을 때, 그는 신성한 서정에 침투당하고 무한한 애정에 잠식당하여 뭍사람들을 위압하는 날카롭고 음험한 눈동자마저도 확 풀게 되리라!

만일 당신이 사회 속의 명분 몇 가지를 버리고, 대신하여 산과 들에 핀 꽃 몇 가지를 가슴 속에 소유한다면, 당신의 가슴에는 누구나 다가와 기대고 싶은 아름다운 향기가 그만큼 배어들 것이다. 야생화 곁에 머무는 시간이 길면 길수록 그 가치는 점점 현실화되어, 이윽고 금고문을 활짝 열어 놓아도 절대로 도둑질당하지 않는 건강 · 신성 · 존엄 · 희망 · 온유 · 겸양 그리고 사랑 등과 같은 희극적 의미의 천만금의 황금을 소유하게 된다. 하지만, 꽃 몇 가지를 소유하게 될지라도 그것이 만일 지식적이라면 산과 들의 꽃은 책에서 절대로 나오지 않을 것이며, 책장에서 끝끝내 썩어가고야 말 뿐이다. 당연히 골목과 골목길엔 더욱 크고 긴 교회당의 종소리만이 날카로운 북풍처럼 잽싸게 목덜미를 파고들게 마련이다.

다행히 인간의 오감은 신비의 극치를 이루며 어느 하루도 꽃의 모양이나 향기를 버리는 일이 없다. 술주정뱅이 독신자의 문간 앞에도 한 개의 화분쯤은 놓여 있게 마련이며, 고리대금업자의 책상 위에도 하나의 난분이 꽃망울을 터뜨리고 있게 마련이다. 그들이 그 화분에 대하여 신경을 쓰건, 쓰지 않건, 갈라진 시멘트 틈의 민들레처럼 야생화는 여전히 우리 곁에 있다.

삶의 길

나의 지프차는 노후하다. 게다가 약초꾼으로서 늘 흙을 밟고 다니는 탓에 바닥의 카펫엔 많은 흙먼지가 베여 있다. 그 탓인지 놀라 탄성을 내지를 정도로 기적이 일어난 때가 있었다. 가느다란 새싹 하나가 올라온 것이었다. 아마도 산길이나 들길 어디에선가 묻혀온 씨앗이 카펫 사이로 꼭꼭 숨어든 뒤, 장마철의 습기에 힘입어 머리를 쏘옥 내민 모양이다. 차 주인인 나를 만나러 오지는 않았을 테니, 손님 접대를 할 필요가 어디 있을까마는, 그러나 그 순간부터 몇 날 며칠을 나의 모든 행동은 손님맞이에 신경을 쏟기에 여념이 없어졌다.

새싹은 너무 작은 나머지 어떤 씨앗으로부터 무슨 꽃이 피게 될는지를 도무지 알 수 없었는데, 나는 나의 차 속에 핀 그 새싹이 이 세상에서 가장 신비로운 풀이며, 가장 아름다운 꽃을 피우게 될 것을 믿어 의심치 않았다. 이럴 때 삶의 희망은 당연하며, 인생의 겸손도 당연하다. 그리고 생명의 존엄함은 더더욱 마땅하다.

제 위치가 아닐지라도 꽃들의 생명은 상상을 초월한 의지를 갖추고 태어나며, 그 의지를 나는 어른이 되어서도 어린아이처럼 좋아한다. 자연의 꽃들에 대하여 신비니, 희망이니, 생명, 존엄, 의지 등의 대단한 단어들로써 표현하지만, 실제로 이들은 얼마나 범속한 단어들

인가. 그래서인지 나는 오히려 '어린아이처럼 좋아한다.'라는 말이 더욱 행복하다.

사진을 찍으려고 들어간 꽃밭에서 그 의미는 틀림없이 세포 마디마디에 전해진다. 아이는 저 홀로 뛰고, 엄마는 군소리 없이 아이에 호응한다. 그때 싱그러운 미풍이 살랑이고, 햇살이 정오를 따라 반짝이며, 나비가 나풀나풀 달콤한 꿈을 품고 오면, 도대체 더 이상의 행복이 무엇이란 말인가! 끝없이 행복의 욕망을 부추기던 신도 놀라 제 일을 감추고 황급히 사라져 갈 테니, 이제 인류의 지상엔 온갖 소란이 그쳐 대지의 길목마다 화평의 인사가 그칠 날이 없음은 지극히 마땅하다.

그렇다면, 해탈을 구하려 스님이 되느니 자연의 꽃밭을 즐기는 편이 훨씬 더 옳은 경지를 얻을 수도 있다. 목사가 되어 어린 양을 신에 인도하느니 자연의 꽃밭에서 노래를 부르는 편이 훨씬 더 이 지상을 천국으로 만들 수도 있는 일이다.

해탈과 천국, 이런 것들에 대한 개개인의 만족감이란 저마다 다를 수밖에 없지만, 우리 일체의 만족감은 어떠한 사물이 전개되어도 그 앞에서 즐거운 미소를 띨 수 있는 것으로 모두 다 설명될 수 있다. 만일 이래도 군소리할 자라면, 그는 똑딱거리는 시계를 심장 깊숙이 달아놓고 시간마다 징징 울어대는 가련한 자이다. 그가 생각하는 꽃들은 철 따라 피는 계절의 존재에 불과하여 기껏해야 계절 따라 무리지어 펼쳐지는 꽃의 축제들, 즉 동백숲, 유채꽃밭, 벚꽃제, 철쭉제, 억새 평원 등의 위락적 탐미만이 꽃에 대한 그의 전 재산이 될 뿐이다. 물론 그 재산도 없는 것보다는 훨씬 낳다.

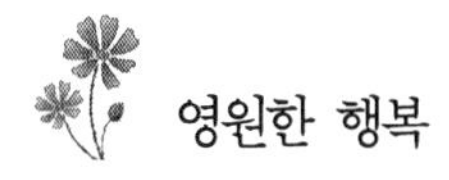

영원한 행복

꽃들이 계절 속에 있다는 것은 크나큰 착각이다. 「나팔꽃」이나 「달맞이꽃」 등처럼 일몰과 일출을 따라 움직일지라도, 그들과 우리에게 약속된 것은 침묵으로 교감 되는 순한 감동과 영원한 애정일 뿐이다. 이때는 문명을 주도한 이상스런 언어들도 슬금슬금 피해 가버리는 하찮은 것들이 된다.

하지만. 그 이상스러운 언어들도 이런 때에는 필요하다. 숙연한 슬픔을 몰고 와 나의 눈빛을 적시는 — 천진난만한 동자승의 죽음 속에서 피어난 「동자꽃」의 애잔한 설화를 들을 때나, 시집살이의 애환을 드러내는 「꽃며느리밥풀꽃」과 「며느리 밑씻개풀」 등의 이야기나, 인생의 무상함을 알리는 「할미꽃」의 이야기 등을 들을 때, 언어는 비로소 제 몫을 다함이 있다.

그러나 아무래도 꽃과의 대면은 침묵이 우선이다. 사실상 자연의 꽃들을 볼 때, 슬픈 일이건 즐거운 일이건 현대의 일들은 죄다 침묵한다. 말 없는 침묵 속에 적막함이 깃드는 것을 염려 말라. 침묵의 자리엔 늘 맑은 눈빛이 채워져 꽃의 본질을 위배함이 없다.

어느 위치, 어느 때에 어떤 꽃을 보건, 그 순간 우리에게는 삶을 툭 던져버린 미소가 피어난다. 거기에는 호기심이 약간 묻어 있기도 하고, 그 호기심만큼이나 궁금증도 약간 묻어 있기도 하며, 쓸쓸하게 내동댕이쳐져 있던 집안의 빈 화분이 슬쩍 빛나기도 하는데, 이럴 때 당신은 틀림없이 어린아이가 된다. 그야말로 성년기에 이르면서 얻어 온, 온갖 얄미운 얌체 짓을 반짝 잊고 마는 것이다.

아주 심한 얌체 짓은 육체를 젊어지게 하려는 짓이다. 오로지 그것이 인생의 지대한 목표인 양 성형실이나 마사지실에 거드름을 피우며 누워서는, 하나하나의 주름이 펴지는 것을 막무가내로 요구하면서 즐겁게 낄낄대는 얌체 짓이야말로 삶의 진정한 보람을 갉아먹는 가장 추한 모습이 아닐 수 없다. 거울 앞에 자주 서는 사람이라면 더욱 더 그렇다.

하지만, 당신에게도 의미가 있는 삶을 위한 꿈과 희망은 분명히 존재한다. 특히 거울을 등질 때, 그 꿈과 희망은 더욱 재빠르게 당신의 소유가 된다. 거울을 등진 당신 앞에는 당신도 어쩔 수 없이 보게 되는 대지의 꽃들 펼쳐진다. 그리고 당신은 젊다 못해 어린아이가 되고도 남음이 있는 생기를 휘감고는, 남녀노소 모두가 전하는 모든 미의 찬사에 마냥 눈물겨울 것이다. 주름은 그것을 더욱 미화하는 삶의 영광이다.

장담컨대 자연의 꽃들은 당신이 그토록 원하던 젊음의 행복이다. 「쥐오줌풀」이나 「노루오줌」, 그리고 「누린내풀」의 냄새가 역겹기도 하겠지만, 그 옆엔 또한 상큼한 「오이풀」과 「수박풀」이 있으니, 결코 당신의 얼굴을 주름지게 하는 일은 없을 것이다. 「미치광이풀」로 인하여 혼돈에 빠진 당신일지라도, 또한 「부처꽃」이 피안의 고요로 당신을 조용히 인도할 것이다.

청사초 움막을 떠난 어느 먼 훗날 낯익은 「여로」꽃 앞에 섰을 때, 나는 「왜현호색」꽃의 자태처럼 훨훨 날아 먼 길을 떠나온 자이다. 때로는 「홀아비꽃대」처럼 쓸쓸함도 있지마는, 「함박꽃」처럼 즐거운 미소를 놓치는 법이 없다. 더더구나 야생화 곁에 서면, 내 이름조차도 쉬 잃고 마는 나는 현대 사회의 미아이면서도 가장 행복한 사나이다. ♣

다음을 기약한다.
나의 일은 글을 쓰는 일이며, 멈출 이유가 없기 때문이다.
더욱 멈출 수 없는 이유는 자연의 풍요로움이 무궁한 까닭이다.
아무리 떠나도 그 자리에 있고,
아무리 보아도 새로운 빛이며,
아무리 누려도 더럽혀지지 않는 순수한 자연 속에서 어찌 나의 꿈이 죽겠는가.
갈수록 꿈꾸고, 갈수록 그 꿈을 온 누리에 뿌리고 싶은 마음이 한없다.
계속 가는 동안 마음과 순수, 필력이 더욱 나아지리라.
새싹은 새싹답게, 꽃은 꽃답게, 열매는 열매답게,
씨앗은 씨앗답게 하는 알찬 경과를 위하여.

그 일에 이미 가슴이 붉다.

2024년 2월 5일

고운하

문밖의 순수

발행일 | 2024년 2월 5일
글쓴이 | 고운하(본명 김인현)
펴낸이 | 한건희

편　집 | 고운하
디자인 | 고운하

펴낸곳 | 주식회사 부크크
출판사등록 | 2014.07.15.(제2014-16호)
주　소 | 서울특별시 금천구 가산디지털1로 119 SK트윈타워 A동 305호
전　화 | 1670-8316
이메일 | info@bookk.co.kr

ISBN 979-11-410-7045-8
가 격 17,000원

www.bookk.co.kr